한국어(韩国语)

동사(动词) 290

형용사(形容词) 137

中国语(중국어)
翻译版(번역판)

< 저자(著者) >

㈜한글2119연구소

- 연구개발전담부서

- ISO 9001 : 품질경영시스템 인증

- ISO 14001 : 환경경영시스템 인증

- 이메일(电邮) : gjh0675@naver.com

< 동영상(视频) 자료(资料) >

HANPUK_中国语(翻译)
https://www.youtube.com/@HANPUK_Chinese

HANPUK

제 2024153361 호

연구개발전담부서 인정서

1. 전담부서명: 연구개발전담부서

   [소속기업명: (주)한글2119연구소]

2. 소　재　지: 인천광역시 부평구 마장로264번길 33
   상가동 제지하층 제2호 (산곡동, 뉴서울아파트)

3. 신고 연월일: 2024년 05월 02일

과학기술정보통신부

「기초연구진흥 및 기술개발지원에 관한 법률」 제14조의

2제1항 및 같은 법 시행령 제27조제1항에 따라 위와 같이

기업의 연구개발전담부서로 인정합니다.

2024년 5월 13일

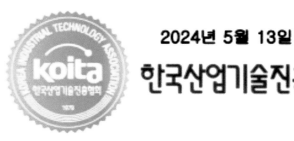 한국산업기술진흥협회장

G-CERTI *Certificate*

hereby certifies that

Hangul 2119 Research Institute Co., Ltd.

Rm. 2, Lower level, Sangga-dong, 33, Majang-ro 264beon-gil,
Bupyeong-gu, Incheon, Korea

meets the Standard Requirements & Scope as following

ISO 9001:2015
Quality Management Systems

Creation of Media Content, Publication
of Korean Paper and Electronic Textbooks, Production
and Release of Albums for Korean Language Education

Certificate No: GIS-6934-QC   Code   : 08, 39
Initial Date   : 2024-05-21   Issue Date   : 2024-05-21
Expiry Date   : 2027-05-20   Valid Period : 2024-05-21 ~ 2027-05-20

Signed for and on behalf of GCERTI
President I.K. Cho

G-CERTI *Certificate*

hereby certifies that

Hangul 2119 Research Institute Co., Ltd.

Rm. 2, Lower level, Sangga-dong, 33, Majang-ro 264beon-gil,
Bupyeong-gu, Incheon, Korea

meets the Standard Requirements & Scope as following

ISO 14001:2015
Environmental Management Systems

Creation of Media Content, Publication
of Korean Paper and Electronic Textbooks, Production and
Release of Albums for Korean Language Education

Certificate No: GIS-6934-EC		Code	: 08, 39
Initial Date	: 2024-05-21	Issue Date	: 2024-05-21
Expiry Date	: 2027-05-20	Valid Period	: 2024-05-21 ~ 2027-05-20

Signed for and on behalf of GCERTI
President I. K. Cho

G-CERT*i*
SYSTEM SERVICE
MSCB-113

IAS ACCREDITED
Management Systems
Certification Body
MSCB-113

IAF

< 목차(目录) >

한국어(韩国语)

동사(动词) 290

(1) 들리다 [deullida]
听到，传来

通过耳朵接受声音。

过去时：들리 + 었어요 → 들렸어요
现在：들리 + 어요 → 들려요
将来：들리 + ㄹ 거예요 → 들릴 거예요

(2) 메다 [meda]
背，扛

把物体放在肩膀或背上。

过去时：메 + 었어요 → 멨어요
现在：메 + 어요 → 메요
将来：메 + ㄹ 거예요 → 멜 거예요

(3) 보이다 [boida]
让看见

用眼睛看而得知对象的存在或样子。

过去时：보이 + 었어요 → 보였어요
现在：보이 + 어요 → 보여요
将来：보이 + ㄹ 거예요 → 보일 거예요

(4) 귀여워하다 [gwiyeowohada]
喜爱，疼爱，怜爱

关心爱护比自己年龄小的人或动物。

过去时：귀여워하 + 였어요 → 귀여워했어요
现在：귀여워하 + 여요 → 귀여워해요
将来：귀여워하 + ㄹ 거예요 → 귀여워할 거예요

(5) 기뻐하다 [gippeohada]

高兴，欢喜

觉得愉快而兴奋。

过去时 : 기뻐하 + 였어요 → 기뻐했어요

现在 : 기뻐하 + 여요 → 기뻐해요

将来 : 기뻐하 + ㄹ 거예요 → 기뻐할 거예요

(6) 놀라다 [nollada]

惊吓，吃惊

因遭到意外或害怕而在刹那间感到紧张或心跳加速。

过去时 : 놀라 + 았어요 → 놀랐어요

现在 : 놀라 + 아요 → 놀라요

将来 : 놀라 + ㄹ 거예요 → 놀랄 거예요

(7) 느끼다 [neukkida]

感觉，感到，觉得

通过鼻子或皮肤等感觉器官识别某种刺激。

过去时 : 느끼 + 었어요 → 느꼈어요

现在 : 느끼 + 어요 → 느껴요

将来 : 느끼 + ㄹ 거예요 → 느낄 거예요

(8) 슬퍼하다 [seulpeohada]

悲伤，伤心

心里感到痛苦难受，以致落泪。

过去时 : 슬퍼하 + 였어요 → 슬퍼했어요

现在 : 슬퍼하 + 여요 → 슬퍼해요

将来 : 슬퍼하 + ㄹ 거예요 → 슬퍼할 거예요

(9) 싫어하다 [sireohada]

讨厌，不愿意

不合心意或不想要。

过去时 : 싫어하 + 였어요 → 싫어했어요
现在 : 싫어하 + 여요 → 싫어해요
将来 : 싫어하 + ㄹ 거예요 → 싫어할 거예요

(10) 안되다 [andoeda]

不称心，不顺

某事情或现象的结果不好。

过去时 : 안되 + 었어요 → 안됐어요
现在 : 안되 + 어요 → 안돼요
将来 : 안되 + ㄹ 거예요 → 안될 거예요

(11) 좋아하다 [joahada]

喜欢

对某事抱有好感。

过去时 : 좋아하 + 였어요 → 좋아했어요
现在 : 좋아하 + 여요 → 좋아해요
将来 : 좋아하 + ㄹ 거예요 → 좋아할 거예요

(12) 즐거워하다 [jeulgeowohada]

高兴，愉悦

感觉满足、开心。

过去时 : 즐거워하 + 였어요 → 즐거워했어요
现在 : 즐거워하 + 여요 → 즐거워해요
将来 : 즐거워하 + ㄹ 거예요 → 즐거워할 거예요

(13) 화나다 [hwanada]

生气，发火

非常懊恼或不合心意而心情变差。

过去时：화나 ＋ 았어요 → 화났어요
现在：화나 ＋ 아요 → 화나요
将来：화나 ＋ ㄹ 거예요 → 화날 거예요

(14) 화내다 [hwanaeda]

发火，生气

表现出心情非常不好，有怒气的感情。

过去时：화내 ＋ 었어요 → 화냈어요
现在：화내 ＋ 어요 → 화내요
将来：화내 ＋ ㄹ 거예요 → 화낼 거예요

(15) 자랑하다 [jaranghada]

炫耀，夸耀

向别人说或显摆自己或和自己有关的人或物等值得被称赞的事。

过去时：자랑하 ＋ 였어요 → 자랑했어요
现在：자랑하 ＋ 여요 → 자랑해요
将来：자랑하 ＋ ㄹ 거예요 → 자랑할 거예요

(16) 조심하다 [josimhada]

小心，谨慎，留心

为避免惹祸而注意言行。

过去时：조심하 ＋ 였어요 → 조심했어요
现在：조심하 ＋ 여요 → 조심해요
将来：조심하 ＋ ㄹ 거예요 → 조심할 거예요

(17) 늙다 [neukda]

老，衰老

上了年纪。

过去时 : 늙 + 었어요 → 늙었어요
现在 : 늙 + 어요 → 늙어요
将来 : 늙 + 을 거예요 → 늙을 거예요

(18) 못생기다 [motsaenggida]

丑，难看

长相低于普通标准。

过去时 : 못생기 + 었어요 → 못생겼어요
现在 : 못생기 + 어요 → 못생겨요
将来 : 못생기 + ㄹ 거예요 → 못생길 거예요

(19) 빼다 [ppaeda]

减肥，减重

使肥肉或体重等减少。

过去时 : 빼 + 었어요 → 뺐어요
现在 : 빼 + 어요 → 빼요
将来 : 빼 + ㄹ 거예요 → 뺄 거예요

(20) 잘생기다 [jalsaenggida]

好看，漂亮，英俊

人的容貌出众。

过去时 : 잘생기 + 었어요 → 잘생겼어요
现在 : 잘생기 + 어요 → 잘생겨요
将来 : 잘생기 + ㄹ 거예요 → 잘생길 거예요

(21) 찌다 [jjida]
发胖，长膘

身上长肉变胖。

过去时 : 찌 + 었어요 → **쪘어요**
现在 : 찌 + 어요 → **쪄요**
将来 : 찌 + ㄹ 거예요 → **찔 거예요**

(22) 못하다 [motada]
不会

做某事做不到一定水准或没有做此事的能力。

过去时 : 못하 + 였어요 → **못했어요**
现在 : 못하 + 여요 → **못해요**
将来 : 못하 + ㄹ 거예요 → **못할 거예요**

(23) 잘못하다 [jalmotada]
做错，做得不好

做得有错或不对。

过去时 : 잘못하 + 였어요 → **잘못했어요**
现在 : 잘못하 + 여요 → **잘못해요**
将来 : 잘못하 + ㄹ 거예요 → **잘못할 거예요**

(24) 잘하다 [jalhada]
善于，擅长

熟练且手艺好。

过去时 : 잘하 + 였어요 → **잘했어요**
现在 : 잘하 + 여요 → **잘해요**
将来 : 잘하 + ㄹ 거예요 → **잘할 거예요**

(25) 가다 [gada]

去

从一个地方移动到另一个地方。

过去时 : 가 + 았어요 → 갔어요
现在 : 가 + 아요 → 가요
将来 : 가 + ㄹ 거예요 → 갈 거예요

(26) 가리키다 [garikida]

指，指着，指出

把手指或东西朝着某个方向或对象，以让别人知道。

过去时 : 가리키 + 었어요 → 가리켰어요
现在 : 가리키 + 어요 → 가리켜요
将来 : 가리키 + ㄹ 거예요 → 가리킬 거예요

(27) 감다 [gamda]

洗

用水清洗头发或身体。

过去时 : 감 + 았어요 → 감았어요
现在 : 감 + 아요 → 감아요
将来 : 감 + 을 거예요 → 감을 거예요

(28) 걷다 [geotda]

走，行走，步行

在地上交替着抬起并移动脚，改换位置。

过去时 : 걷 + 었어요 → 걸었어요
现在 : 걷 + 어요 → 걸어요
将来 : 걷 + 을 거예요 → 걸을 거예요

(29) 걸어가다 [georeogada]

走去，走过去

朝目的地徒步前行。

过去时 : 걸어가 + 았어요 → 걸어갔어요

现在 : 걸어가 + 아요 → 걸어가요

将来 : 걸어가 + ㄹ 거예요 → 걸어갈 거예요

(30) 걸어오다 [georeooda]

走来，走过来

朝着目的地迈开双腿移动过来。

过去时 : 걸어오 + 았어요 → 걸어왔어요

现在 : 걸어오 + 아요 → 걸어와요

将来 : 걸어오 + ㄹ 거예요 → 걸어올 거예요

(31) 꺼내다 [kkeonaeda]

拿出，掏出，取出

把里面的东西拿到外面。

过去时 : 꺼내 + 었어요 → 꺼냈어요

现在 : 꺼내 + 어요 → 꺼내요

将来 : 꺼내 + ㄹ 거예요 → 꺼낼 거예요

(32) 나오다 [naoda]

出，出来

从里面到外面。

过去时 : 나오 + 았어요 → 나왔어요

现在 : 나오 + 아요 → 나와요

将来 : 나오 + ㄹ 거예요 → 나올 거예요

(33) 내려가다 [naeryeogada]

下去，下行

从上往下走。

过去时：내려가 + 았어요 → 내려갔어요
现在：내려가 + 아요 → 내려가요
将来：내려가 + ㄹ 거예요 → 내려갈 거예요

(34) 내려오다 [naeryeoooda]

下来

从高处来到低处或从上面来到下面。

过去时：내려오 + 았어요 → 내려왔어요
现在：내려오 + 아요 → 내려와요
将来：내려오 + ㄹ 거예요 → 내려올 거예요

(35) 넘어지다 [neomeojida]

跌倒，倒下，摔倒

站立着的人或物失去重心，倾向一边而倒下。

过去时：넘어지 + 었어요 → 넘어졌어요
现在：넘어지 + 어요 → 넘어져요
将来：넘어지 + ㄹ 거예요 → 넘어질 거예요

(36) 넣다 [neota]

放进，装进

使进入某个空间里。

过去时：넣 + 었어요 → 넣었어요
现在：넣 + 어요 → 넣어요
将来：넣 + 을 거예요 → 넣을 거예요

(37) 놓다 [nota]

松, 松开

摊开手或不用力，使抓着或摁住的东西从手里掉出来。

过去时 : 놓 + 았어요 → 놓았어요

现在 : 놓 + 아요 → 놓아요

将来 : 놓 + 을 거예요 → 놓을 거예요

(38) 누르다 [nureuda]

按, 压, 摁

从上往下用力向物体的整体或部分施力。

过去时 : 누르 + 었어요 → 눌렀어요

现在 : 누르 + 어요 → 눌러요

将来 : 누르 + ㄹ 거예요 → 누를 거예요

(39) 달리다 [dallida]

跑, 奔跑, 快跑

快速跑着过去或过来。

过去时 : 달리 + 었어요 → 달렸어요

现在 : 달리 + 어요 → 달려요

将来 : 달리 + ㄹ 거예요 → 달릴 거예요

(40) 던지다 [deonjida]

投, 掷, 扔

挥动手臂，把手里拿着的东西向空中丢出去。

过去时 : 던지 + 었어요 → 던졌어요

现在 : 던지 + 어요 → 던져요

将来 : 던지 + ㄹ 거예요 → 던질 거예요

(41) 돌리다 [dollida]

转，旋转

使某物画着圆圈移动。

过去时：돌리 + 었어요 → 돌렸어요

现在：돌리 + 어요 → 돌려요

将来：돌리 + ㄹ 거예요 → 돌릴 거예요

(42) 듣다 [deutda]

听

用耳朵接受声音。

过去时：듣 + 었어요 → 들었어요

现在：듣 + 어요 → 들어요

将来：듣 + 을 거예요 → 들을 거예요

(43) 들어가다 [deureogada]

进，进去

由外往里去。

过去时：들어가 + 았어요 → 들어갔어요

现在：들어가 + 아요 → 들어가요

将来：들어가 + ㄹ 거예요 → 들어갈 거예요

(44) 들어오다 [deureooda]

进，进来

从某个范围外往里移动。

过去时：들어오 + 았어요 → 들어왔어요

现在：들어오 + 아요 → 들어와요

将来：들어오 + ㄹ 거예요 → 들어올 거예요

(45) 뛰다 [ttwida]

跑, 奔跑

快速挪动双脚, 迅速向前行进。

过去时 : 뛰 + 었어요 → 뛰었어요
现在 : 뛰 + 어요 → 뛰어요
将来 : 뛰 + ㄹ 거예요 → 뛸 거예요

(46) 뛰어가다 [ttwieogada]

跑去, 跑到, 奔去

向着某个地方快速跑过去。

过去时 : 뛰어가 + 았어요 → 뛰어갔어요
现在 : 뛰어가 + 아요 → 뛰어가요
将来 : 뛰어가 + ㄹ 거예요 → 뛰어갈 거예요

(47) 뜨다 [tteuda]

睁, 睁开

张开闭着的眼睛。

过去时 : 뜨 + 었어요 → 떴어요
现在 : 뜨 + 어요 → 떠요
将来 : 뜨 + ㄹ 거예요 → 뜰 거예요

(48) 만지다 [manjida]

触摸, 抚摸

用手接触后移动。

过去时 : 만지 + 었어요 → 만졌어요
现在 : 만지 + 어요 → 만져요
将来 : 만지 + ㄹ 거예요 → 만질 거예요

(49) 미끄러지다 [mikkeureojida]

滑倒，滑

在溜滑的地方被推向一边或摔倒。

过去时 : 미끄러지 + 었어요 → 미끄러졌어요
现在 : 미끄러지 + 어요 → 미끄러져요
将来 : 미끄러지 + ㄹ 거예요 → 미끄러질 거예요

(50) 밀다 [milda]

推

向想要的方向用力使物体移动。

过去时 : 밀 + 었어요 → 밀었어요
现在 : 밀 + 어요 → 밀어요
将来 : 밀 + ㄹ 거예요 → 밀 거예요

(51) 바라보다 [baraboda]

望，看

正对着看。

过去时 : 바라보 + 았어요 → 바라봤어요
现在 : 바라보 + 아요 → 바라봐요
将来 : 바라보 + ㄹ 거예요 → 바라볼 거예요

(52) 보다 [boda]

看

用眼睛识辨对象的存在或外观。

过去时 : 보 + 았어요 → 봤어요
现在 : 보 + 아요 → 봐요
将来 : 보 + ㄹ 거예요 → 볼 거예요

(53) 서다 [seoda]

站，站立

人或动物把脚放在地上，使身体挺直。

过去时：서 + 었어요 → 섰어요
现在：서 + 어요 → 서요
将来：서 + ㄹ 거예요 → 설 거예요

(54) 쉬다 [swida]

休息，歇

为去除疲劳而使身体舒适。

过去时：쉬 + 었어요 → 쉬었어요
现在：쉬 + 어요 → 쉬어요
将来：쉬 + ㄹ 거예요 → 쉴 거예요

(55) 안다 [anda]

抱

张开双臂将对象揽向胸前或使其进入自己的怀中。

过去时：안 + 았어요 → 안았어요
现在：안 + 아요 → 안아요
将来：안 + 을 거예요 → 안을 거예요

(56) 앉다 [anda]

坐

挺直上半身，将臀部置于别的物体或地上以支持身体的重量。

过去时：앉 + 았어요 → 앉았어요
现在：앉 + 아요 → 앉아요
将来：앉 + 을 거예요 → 앉을 거예요

(57) 오다 [oda]

来，来到

从别的地方移动到这个地方。

过去时 : 오 + 았어요 → 왔어요
现在 : 오 + 아요 → 와요
将来 : 오 + ㄹ 거예요 → 올 거예요

(58) 올라가다 [ollagada]

上，上去

从下向上，从低处前往高处。

过去时 : 올라가 + 았어요 → 올라갔어요
现在 : 올라가 + 아요 → 올라가요
将来 : 올라가 + ㄹ 거예요 → 올라갈 거예요

(59) 올라오다 [ollaoda]

上，上来

由低处到高处。

过去时 : 올라오 + 았어요 → 올라왔어요
现在 : 올라오 + 아요 → 올라와요
将来 : 올라오 + ㄹ 거예요 → 올라올 거예요

(60) 울다 [ulda]

哭，哭泣

因为伤心、疼痛或太高兴而忍不住流眼泪；或指一边那样流眼泪一边发出声音。

过去时 : 울 + 었어요 → 울었어요
现在 : 울 + 어요 → 울어요
将来 : 울 + ㄹ 거예요 → 울 거예요

(61) 움직이다 [umjigida]

动, 移动, 动弹

变换位置或姿势；或指使位置或姿势发生变化。

过去时 : 움직이 + 었어요 → 움직였어요
现在 : 움직이 + 어요 → 움직여요
将来 : 움직이 + ㄹ 거예요 → 움직일 거예요

(62) 웃다 [utda]

笑

高兴、满意或好笑时，解颜或发出声音。

过去时 : 웃 + 었어요 → 웃었어요
现在 : 웃 + 어요 → 웃어요
将来 : 웃 + 을 거예요 → 웃을 거예요

(63) 일어나다 [ireonada]

起, 起来

由躺而坐或由坐而站。

过去时 : 일어나 + 았어요 → 일어났어요
现在 : 일어나 + 아요 → 일어나요
将来 : 일어나 + ㄹ 거예요 → 일어날 거예요

(64) 일어서다 [ireoseoda]

起身, 站起来

由坐而站。

过去时 : 일어서 + 었어요 → 일어섰어요
现在 : 일어서 + 어요 → 일어서요
将来 : 일어서 + ㄹ 거예요 → 일어설 거예요

(65) 잡다 [japda]

抓，揪

用手握住不放。

过去时：잡 + 았어요 → 잡았어요
现在：잡 + 아요 → 잡아요
将来：잡 + 을 거예요 → 잡을 거예요

(66) 접다 [jeopda]

叠

把布或纸等折上摞起来。

过去时：접 + 었어요 → 접었어요
现在：접 + 어요 → 접어요
将来：접 + 을 거예요 → 접을 거예요

(67) 지나가다 [jinagada]

通过，路过

经过某个地方。

过去时：지나가 + 았어요 → 지나갔어요
现在：지나가 + 아요 → 지나가요
将来：지나가 + ㄹ 거예요 → 지나갈 거예요

(68) 지르다 [jireuda]

喊叫

放开嗓音大叫。

过去时：지르 + 었어요 → 질렀어요
现在：지르 + 어요 → 질러요
将来：지르 + ㄹ 거예요 → 지를 거예요

(69) 차다 [chada]

踢

伸出脚用力踢或往上举。

过去时 : 차 + 았어요 → 찼어요
现在 : 차 + 아요 → 차요
将来 : 차 + ㄹ 거예요 → 찰 거예요

(70) 쳐다보다 [cheodaboda]

仰视，仰望

从下往上看。

过去时 : 쳐다보 + 았어요 → 쳐다봤어요
现在 : 쳐다보 + 아요 → 쳐다봐요
将来 : 쳐다보 + ㄹ 거예요 → 쳐다볼 거예요

(71) 치다 [chida]

打，敲，击

用手或其他物品用力碰撞到某物上。

过去时 : 치 + 었어요 → 쳤어요
现在 : 치 + 어요 → 쳐요
将来 : 치 + ㄹ 거예요 → 칠 거예요

(72) 흔들다 [heundeulda]

摇动，摇晃，挥动

使某物左右或前后摆动。

过去时 : 흔들 + 었어요 → 흔들었어요
现在 : 흔들 + 어요 → 흔들어요
将来 : 흔들 + ㄹ 거예요 → 흔들 거예요

(73) 기억나다 [gieongnada]
记起, 想起

在心中或脑海里浮现出以前的模样、事实、知识、经验等。

过去时 : 기억나 + 았어요 → 기억났어요
现在 : 기억나 + 아요 → 기억나요
将来 : 기억나 + ㄹ 거예요 → 기억날 거예요

(74) 모르다 [moreuda]
不知道, 不认识, 不懂

不清楚或不了解人或事物、事实等。

过去时 : 모르 + 았어요 → 몰랐어요
现在 : 모르 + 아요 → 몰라요
将来 : 모르 + ㄹ 거예요 → 모를 거예요

(75) 믿다 [mitda]
信, 相信

认为正确或是事实。

过去时 : 믿 + 었어요 → 믿었어요
现在 : 믿 + 어요 → 믿어요
将来 : 믿 + 을 거예요 → 믿을 거예요

(76) 바라다 [barada]
期待, 盼望

希望事情按照某种想法或愿望得以实现。

过去时 : 바라 + 았어요 → 바랐어요
现在 : 바라 + 아요 → 바라요
将来 : 바라 + ㄹ 거예요 → 바랄 거예요

(77) 보이다 [boida]
让看见

使用眼睛看而得知对象的存在或样子。

过去时 : 보이 + 었어요 → 보였어요

现在 : 보이 + 어요 → 보여요

将来 : 보이 + ㄹ 거예요 → 보일 거예요

(78) 생각나다 [saenggangnada]
想起, 想出, 想到

新的想法在脑海中浮现。

过去时 : 생각나 + 았어요 → 생각났어요

现在 : 생각나 + 아요 → 생각나요

将来 : 생각나 + ㄹ 거예요 → 생각날 거예요

(79) 알다 [alda]
知道, 明白

通过教育、经验、思考等来, 具备与事物或情况相关的信息或知识。

过去时 : 알 + 았어요 → 알았어요

现在 : 알 + 아요 → 알아요

将来 : 알 + ㄹ 거예요 → 알 거예요

(80) 알리다 [allida]
告知

使醒悟或得知原本不知道或忘记的事情。

过去时 : 알리 + 었어요 → 알렸어요

现在 : 알리 + 어요 → 알려요

将来 : 알리 + ㄹ 거예요 → 알릴 거예요

(81) 외우다 [oeuda]
背，背诵

记住而不忘记话语或文章。

过去时 : 외우 + 었어요 → 외웠어요
现在 : 외우 + 어요 → 외워요
将来 : 외우 + ㄹ 거예요 → 외울 거예요

(82) 원하다 [wonhada]
希望，想要

期望或想做。

过去时 : 원하 + 였어요 → 원했어요
现在 : 원하 + 여요 → 원해요
将来 : 원하 + ㄹ 거예요 → 원할 거예요

(83) 잊다 [itda]
忘，忘记，忘却

本来知道的事情记不住或记不起来。

过去时 : 잊 + 었어요 → 잊었어요
现在 : 잊 + 어요 → 잊어요
将来 : 잊 + 을 거예요 → 잊을 거예요

(84) 잊어버리다 [ijeobeorida]
忘掉

本来知道的事情记不住或记不起来。

过去时 : 잊어버리 + 었어요 → 잊어버렸어요
现在 : 잊어버리 + 어요 → 잊어버려요
将来 : 잊어버리 + ㄹ 거예요 → 잊어버릴 거예요

(85) 기르다 [gireuda]

养，喂养，饲养，栽培

给动物食物或给植物养分，并予以保护，使其成长。

过去时 : 기르 + 었어요 → 길렀어요

现在 : 기르 + 어요 → 길러요

将来 : 기르 + ㄹ 거예요 → 기를 거예요

(86) 살다 [salda]

活，活着，生存

存有生命。

过去时 : 살 + 았어요 → 살았어요

现在 : 살 + 아요 → 살아요

将来 : 살 + ㄹ 거예요 → 살 거예요

(87) 죽다 [jukda]

死

生物失去生命。

过去时 : 죽 + 었어요 → 죽었어요

现在 : 죽 + 어요 → 죽어요

将来 : 죽 + 을 거예요 → 죽을 거예요

(88) 지내다 [jinaeda]

度日，生活

以某种程度或状态过日子。

过去时 : 지내 + 었어요 → 지냈어요

现在 : 지내 + 어요 → 지내요

将来 : 지내 + ㄹ 거예요 → 지낼 거예요

(89) 태어나다 [taeeonada]
诞生，出生，降生

人或动物从母腹中出来。

过去时：태어나 + 았어요 → 태어났어요
现在：태어나 + 아요 → 태어나요
将来：태어나 + ㄹ 거예요 → 태어날 거예요

(90) 감다 [gamda]
闭

用眼皮盖住眼睛。

过去时：감 + 았어요 → 감았어요
现在：감 + 아요 → 감아요
将来：감 + 을 거예요 → 감을 거예요

(91) 깨다 [kkaeda]
睡醒

摆脱熟睡的状态而苏醒过来；或使之那样子。

过去时：깨 + 었어요 → 깼어요
现在：깨 + 어요 → 깨요
将来：깨 + ㄹ 거예요 → 깰 거예요

(92) 꾸다 [kkuda]
做

睡觉时在梦中像现实生活一样看、听、感觉。

过去时：꾸 + 었어요 → 꾸었어요
现在：꾸 + 어요 → 꾸어요
将来：꾸 + ㄹ 거예요 → 꿀 거예요

(93) 눕다 [nupda]

躺

人或动物将背部或肋部贴附在某处而横躺下。

过去时 : 눕 + 었어요 → 누웠어요

现在 : 눕 + 어요 → 누워요

将来 : 눕 + ㄹ 거예요 → 누울 거예요

(94) 다녀오다 [danyeooda]

去一趟，去了趟

去某地后又回来。

过去时 : 다녀오 + 았어요 → 다녀왔어요

现在 : 다녀오 + 아요 → 다녀와요

将来 : 다녀오 + ㄹ 거예요 → 다녀올 거예요

(95) 다니다 [danida]

常去

经常出入某个地方。

过去时 : 다니 + 었어요 → 다녔어요

现在 : 다니 + 어요 → 다녀요

将来 : 다니 + ㄹ 거예요 → 다닐 거예요

(96) 닦다 [dakda]

擦，拭

为去掉脏东西而抹。

过去时 : 닦 + 았어요 → 닦았어요

现在 : 닦 + 아요 → 닦아요

将来 : 닦 + 을 거예요 → 닦을 거예요

(97) 씻다 [ssitda]

洗，刷

除去污垢或脏的东西而使之干净。

过去时 : 씻 + 었어요 → 씻었어요
现在 : 씻 + 어요 → 씻어요
将来 : 씻 + 을 거예요 → 씻을 거예요

(98) 일어나다 [ireonada]

起，起床，起来

从睡眠中醒来。

过去时 : 일어나 + 았어요 → 일어났어요
现在 : 일어나 + 아요 → 일어나요
将来 : 일어나 + ㄹ 거예요 → 일어날 거예요

(99) 자다 [jada]

睡，睡觉

闭眼睛，停止身体、精神活动，一时进入休息状态。

过去时 : 자 + 았어요 → 잤어요
现在 : 자 + 아요 → 자요
将来 : 자 + ㄹ 거예요 → 잘 거예요

(100) 잠자다 [jamjada]

睡觉，睡眠

身体和精神停止活动，休息一段时间。

过去时 : 잠자 + 았어요 → 잠잤어요
现在 : 잠자 + 아요 → 잠자요
将来 : 잠자 + ㄹ 거예요 → 잠잘 거예요

(101) 주무시다 [jumusida]

就寝，睡

(尊称)睡觉。

过去时 : 주무시 + 었어요 → 주무셨어요

现在 : 주무시 + 어요 → 주무셔요

将来 : 주무시 + ㄹ 거예요 → 주무실 거예요

(102) 구경하다 [gugyeonghada]

观看，观赏，看热闹

带着兴趣或关心看。

过去时 : 구경하 + 였어요 → 구경했어요

现在 : 구경하 + 여요 → 구경해요

将来 : 구경하 + ㄹ 거예요 → 구경할 거예요

(103) 그리다 [geurida]

画

利用铅笔或毛笔等以线条或色彩来表现事物。

过去时 : 그리 + 었어요 → 그렸어요

现在 : 그리 + 어요 → 그려요

将来 : 그리 + ㄹ 거예요 → 그릴 거예요

(104) 노래하다 [noraehada]

唱歌，歌唱

放声唱出谱好曲的具有韵律的歌词。

过去时 : 노래하 + 였어요 → 노래했어요

现在 : 노래하 + 여요 → 노래해요

将来 : 노래하 + ㄹ 거예요 → 노래할 거예요

(105) 놀다 [nolda]

玩耍，玩乐

玩着游戏等度过有趣、愉快的时光。

过去时：놀 + 았어요 → 놀았어요
现在：놀 + 아요 → 놀아요
将来：놀 + ㄹ 거예요 → 놀 거예요

(106) 독서하다 [dokseohada]

读书

阅读书籍。

过去时：독서하 + 였어요 → 독서했어요
现在：독서하 + 여요 → 독서해요
将来：독서하 + ㄹ 거예요 → 독서할 거예요

(107) 등산하다 [deungsanhada]

登山

以运动或玩乐为目的爬山。

过去时：등산하 + 였어요 → 등산했어요
现在：등산하 + 여요 → 등산해요
将来：등산하 + ㄹ 거예요 → 등산할 거예요

(108) 부르다 [bureuda]

唱

依照曲调歌唱。

过去时：부르 + 었어요 → 불렀어요
现在：부르 + 어요 → 불러요
将来：부르 + ㄹ 거예요 → 부를 거예요

(109) 불다 [bulda]

吹

用嘴出气使管乐器发出声。

过去时 : 불 + 었어요 → 불었어요

现在 : 불 + 어요 → 불어요

将来 : 불 + ㄹ 거예요 → 불 거예요

(110) 산책하다 [sanchaekada]

散步

稍作休息或为了健康而在附近慢走。

过去时 : 산책하 + 였어요 → 산책했어요

现在 : 산책하 + 여요 → 산책해요

将来 : 산책하 + ㄹ 거예요 → 산책할 거예요

(111) 수영하다 [suyeonghada]

游泳

在水中游。

过去时 : 수영하 + 였어요 → 수영했어요

现在 : 수영하 + 여요 → 수영해요

将来 : 수영하 + ㄹ 거예요 → 수영할 거예요

(112) 여행하다 [yeohaenghada]

旅行，旅游

离开家去其它地区或国外——逛并观看。

过去时 : 여행하 + 였어요 → 여행했어요

现在 : 여행하 + 여요 → 여행해요

将来 : 여행하 + ㄹ 거예요 → 여행할 거예요

(113) 운동하다 [undonghada]

运动

锻炼身体或为了健康而活动身体。

过去时 : 운동하 + 였어요 → 운동했어요
现在 : 운동하 + 여요 → 운동해요
将来 : 운동하 + ㄹ 거예요 → 운동할 거예요

(114) 즐기다 [jeulgida]

享受

愉快地尽情感受。

过去时 : 즐기 + 었어요 → 즐겼어요
现在 : 즐기 + 어요 → 즐겨요
将来 : 즐기 + ㄹ 거예요 → 즐길 거예요

(115) 찍다 [jjikda]

拍，拍摄

用照相机照射某个物品，把其样子移动到胶片上。

过去时 : 찍 + 었어요 → 찍었어요
现在 : 찍 + 어요 → 찍어요
将来 : 찍 + 을 거예요 → 찍을 거예요

(116) 추다 [chuda]

跳

做跳舞动作。

过去时 : 추 + 었어요 → 췄어요
现在 : 추 + 어요 → 춰요
将来 : 추 + ㄹ 거예요 → 출 거예요

(117) 춤추다 [chumchuda]

跳舞

伴着音乐或有节奏的拍子晃动身体。

过去时 : 춤추 + 었어요 → 춤췄어요

现在 : 춤추 + 어요 → 춤춰요

将来 : 춤추 + ㄹ 거예요 → 춤출 거예요

(118) 켜다 [kyeoda]

拨弄, 拉, 弹

用琴弓拉弦乐器的弦, 使其发声。

过去时 : 켜 + 었어요 → 켰어요

现在 : 켜 + 어요 → 켜요

将来 : 켜 + ㄹ 거예요 → 켤 거예요

(119) 타다 [tada]

打, 玩

坐在秋千或跷跷板等娱乐器械上晃动身体。

过去时 : 타 + 았어요 → 탔어요

现在 : 타 + 아요 → 타요

将来 : 타 + ㄹ 거예요 → 탈 거예요

(120) 검사하다 [geomsahada]

检查, 检验

调查某事或某个对象, 查出对错或好坏等。

过去时 : 검사하 + 였어요 → 검사했어요

现在 : 검사하 + 여요 → 검사해요

将来 : 검사하 + ㄹ 거예요 → 검사할 거예요

(121) 고치다 [gochida]
治疗，医治

使病痊愈。

过去时：고치 + 었어요 → 고쳤어요
现在：고치 + 어요 → 고쳐요
将来：고치 + ㄹ 거예요 → 고칠 거예요

(122) 바르다 [bareuda]
抹，搽

把液体或粉末等置于物体表面揉擦，使其被均匀涂抹。

过去时：바르 + 았어요 → 발랐어요
现在：바르 + 아요 → 발라요
将来：바르 + ㄹ 거예요 → 바를 거예요

(123) 수술하다 [susulhada]
动手术

为了治病而对身体的一部分进行切除或缝合。

过去时：수술하 + 였어요 → 수술했어요
现在：수술하 + 여요 → 수술해요
将来：수술하 + ㄹ 거예요 → 수술할 거예요

(124) 입원하다 [ibwonhada]
住院

为了治病而在医院住一段时间。

过去时：입원하 + 였어요 → 입원했어요
现在：입원하 + 여요 → 입원해요
将来：입원하 + ㄹ 거예요 → 입원할 거예요

(125) 퇴원하다 [toewonhada]

出院

一定期间内住在医院接受治疗的患者离开医院。

过去时 : 퇴원하 + 였어요 → 퇴원했어요

现在 : 퇴원하 + 여요 → 퇴원해요

将来 : 퇴원하 + ㄹ 거예요 → 퇴원할 거예요

(126) 먹다 [meokda]

吃

将食物送进口中并咽下。

过去时 : 먹 + 었어요 → 먹었어요

现在 : 먹 + 어요 → 먹어요

将来 : 먹 + 을 거예요 → 먹을 거예요

(127) 마시다 [masida]

喝，饮

使水等液体流入喉咙。

过去时 : 마시 + 었어요 → 마셨어요

现在 : 마시 + 어요 → 마셔요

将来 : 마시 + ㄹ 거예요 → 마실 거예요

(128) 굽다 [gupda]

烤，烧烤

在火上把食物烧熟。

过去时 : 굽 + 었어요 → 구웠어요

现在 : 굽 + 어요 → 구워요

将来 : 굽 + ㄹ 거예요 → 구울 거예요

(129) 깎다 [kkakda]

削

用刀之类的工具薄薄地去掉东西表面或水果等的外皮。

过去时 : 깎 + 았어요 → 깎았어요
现在 : 깎 + 아요 → 깎아요
将来 : 깎 + 을 거예요 → 깎을 거예요

(130) 끓다 [kkeulta]

沸腾，开

液体滚烫，冒出气泡。

过去时 : 끓 + 었어요 → 끓었어요
现在 : 끓 + 어요 → 끓어요
将来 : 끓 + 을 거예요 → 끓을 거예요

(131) 끓이다 [kkeurida]

煮，烧

把食物放进水或液体里加热，制作食品。

过去时 : 끓이 + 었어요 → 끓였어요
现在 : 끓이 + 어요 → 끓여요
将来 : 끓이 + ㄹ 거예요 → 끓일 거예요

(132) 볶다 [bokda]

炒

把几乎没有水分的东西放在火上一边搅拌一边弄熟。

过去时 : 볶 + 았어요 → 볶았어요
现在 : 볶 + 아요 → 볶아요
将来 : 볶 + 을 거예요 → 볶을 거예요

(133) 섞다 [seokda]

掺加，混合

把两种以上的东西合在一起。

过去时：섞 + 었어요 → 섞었어요

现在：섞 + 어요 → 섞어요

将来：섞 + 을 거예요 → 섞을 거예요

(134) 썰다 [sseolda]

切，锯

用刀或锯向下摁并前后移动而将某物轧断或弄成许多块。

过去时：썰 + 었어요 → 썰었어요

现在：썰 + 어요 → 썰어요

将来：썰 + ㄹ 거예요 → 썰 거예요

(135) 씹다 [ssipda]

咀嚼，嚼

人或动物将食物放在嘴里，用牙齿咬碎或轻柔地磨碎。

过去时：씹 + 었어요 → 씹었어요

现在：씹 + 어요 → 씹어요

将来：씹 + 을 거예요 → 씹을 거예요

(136) 익다 [ikda]

熟

肉、蔬菜、谷物等生的食物受热，其味道和性质发生变化。

过去时：익 + 었어요 → 익었어요

现在：익 + 어요 → 익어요

将来：익 + 을 거예요 → 익을 거예요

(137) 찌다 [jjida]

蒸，馏

用热气弄熟食物或加热食物。

过去时 : 찌 + 었어요 → **쪘어요**

现在 : 찌 + 어요 → **쪄요**

将来 : 찌 + ㄹ 거예요 → **찔 거예요**

(138) 타다 [tada]

焦，糊

由于过度烧、烤而变黑。

过去时 : 타 + 았어요 → **탔어요**

现在 : 타 + 아요 → **타요**

将来 : 타 + ㄹ 거예요 → **탈 거예요**

(139) 튀기다 [twigida]

油炸，炸，煎

放入热油中使食物胀起来。

过去时 : 튀기 + 었어요 → **튀겼어요**

现在 : 튀기 + 어요 → **튀겨요**

将来 : 튀기 + ㄹ 거예요 → **튀길 거예요**

(140) 갈아입다 [garaipda]

换，换穿

把身上的衣服脱掉，改穿别的衣服。

过去时 : 갈아입 + 었어요 → **갈아입었어요**

现在 : 갈아입 + 어요 → **갈아입어요**

将来 : 갈아입 + 을 거예요 → **갈아입을 거예요**

(141) 끼다 [kkida]

插进，夹入

为了避免掉落，使其勾起来或别起来。

过去时：끼 + 었어요 → 꼈어요

现在：끼 + 어요 → 껴요

将来：끼 + ㄹ 거예요 → 낄 거예요

(142) 매다 [maeda]

系，绑

将带子或绳子的两端相互拴在一起而使其不能解开。

过去时：매 + 었어요 → 맸어요

现在：매 + 어요 → 매요

将来：매 + ㄹ 거예요 → 맬 거예요

(143) 벗다 [beotda]

脱下，摘下

人从身上取下所持的东西或衣服等。

过去时：벗 + 었어요 → 벗었어요

现在：벗 + 어요 → 벗어요

将来：벗 + 을 거예요 → 벗을 거예요

(144) 신다 [sinda]

穿

把脚放进鞋子或袜子等里面，覆盖脚的全部或一部分。

过去时：신 + 었어요 → 신었어요

现在：신 + 어요 → 신어요

将来：신 + 을 거예요 → 신을 거예요

(145) 쓰다 [sseuda]

戴

将帽子或假发等套在头上。

过去时：쓰 + 었어요 → 썼어요
现在：쓰 + 어요 → 써요
将来：쓰 + ㄹ 거예요 → 쓸 거예요

(146) 입다 [ipda]

穿

将衣服披或裹在身上。

过去时：입 + 었어요 → 입었어요
现在：입 + 어요 → 입어요
将来：입 + 을 거예요 → 입을 거예요

(147) 차다 [chada]

系，挎，扣，戴，佩戴

把物品束在、挂在或别在腰、手腕或脚腕上。

过去时：차 + 았어요 → 찼어요
现在：차 + 아요 → 차요
将来：차 + ㄹ 거예요 → 찰 거예요

(148) 기르다 [gireuda]

留，蓄

让头发或胡须等长长。

过去时：기르 + 었어요 → 길렀어요
现在：기르 + 어요 → 길러요
将来：기르 + ㄹ 거예요 → 기를 거예요

(149) 깎다 [kkakda]

剪

把草或毛等切短。

过去时 : 깎 + 았어요 → 깎았어요

现在 : 깎 + 아요 → 깎아요

将来 : 깎 + 을 거예요 → 깎을 거예요

(150) 드라이하다 [deuraihada]

吹风

用出风的电器把头发吹干或做造型。

过去时 : 드라이하 + 였어요 → 드라이했어요

现在 : 드라이하 + 여요 → 드라이해요

将来 : 드라이하 + ㄹ 거예요 → 드라이할 거예요

(151) 면도하다 [myeondohada]

剃须, 刮脸, 刮毛

剃刮长在脸或身上的胡须或细毛。

过去时 : 면도하 + 였어요 → 면도했어요

现在 : 면도하 + 여요 → 면도해요

将来 : 면도하 + ㄹ 거예요 → 면도할 거예요

(152) 빗다 [bitda]

梳, 梳理

用梳子或手等将头发或毛发理整齐。

过去时 : 빗 + 었어요 → 빗었어요

现在 : 빗 + 어요 → 빗어요

将来 : 빗 + 을 거예요 → 빗을 거예요

(153) 염색하다 [yeomsaekada]

染色

给布、线或头发等染上颜色。

过去时 : 염색하 + 였어요 → 염색했어요
现在 : 염색하 + 여요 → 염색해요
将来 : 염색하 + ㄹ 거예요 → 염색할 거예요

(154) 이발하다 [ibalhada]

理发

修剪头发。

过去时 : 이발하 + 였어요 → 이발했어요
现在 : 이발하 + 여요 → 이발해요
将来 : 이발하 + ㄹ 거예요 → 이발할 거예요

(155) 파마하다 [pamahada]

烫发

使用机器、药物等使头发卷曲或拉直并使之长时间维持这种状态。

过去时 : 파마하 + 였어요 → 파마했어요
现在 : 파마하 + 여요 → 파마해요
将来 : 파마하 + ㄹ 거예요 → 파마할 거예요

(156) 화장하다 [hwajanghada]

化妆

涂抹化妆品把脸部装饰得更美。

过去时 : 화장하 + 였어요 → 화장했어요
现在 : 화장하 + 여요 → 화장해요
将来 : 화장하 + ㄹ 거예요 → 화장할 거예요

(157) 이사하다 [isahada]

搬家

离开原先生活的地方，搬到别的地方。

过去时 : 이사하 + 였어요 → 이사했어요
现在 : 이사하 + 여요 → 이사해요
将来 : 이사하 + ㄹ 거예요 → 이사할 거예요

(158) 머무르다 [meomureuda]

逗留，暂住

途中停下或一时呆在某处。

过去时 : 머무르 + 었어요 → 머물렀어요
现在 : 머무르 + 어요 → 머물러요
将来 : 머무르 + ㄹ 거예요 → 머무를 거예요

(159) 묵다 [mukda]

住，停留

作为客人住在某处。

过去时 : 묵 + 었어요 → 묵었어요
现在 : 묵 + 어요 → 묵어요
将来 : 묵 + 을 거예요 → 묵을 거예요

(160) 숙박하다 [sukbakada]

住宿，投宿

在旅馆或酒店等中睡觉停留。

过去时 : 숙박하 + 였어요 → 숙박했어요
现在 : 숙박하 + 여요 → 숙박해요
将来 : 숙박하 + ㄹ 거예요 → 숙박할 거예요

(161) 체류하다 [cheryuhada]

滞留，逗留，停留

离开家乡后留在某处。

过去时 : 체류하 + 였어요 → 체류했어요
现在 : 체류하 + 여요 → 체류해요
将来 : 체류하 + ㄹ 거예요 → 체류할 거예요

(162) 걸다 [geolda]

挂

为了使物体不掉落，吊挂在某处。

过去时 : 걸 + 었어요 → 걸었어요
现在 : 걸 + 어요 → 걸어요
将来 : 걸 + ㄹ 거예요 → 걸 거예요

(163) 고치다 [gochida]

修补，维修

修理出故障或不能用的东西，使其可重新使用。

过去时 : 고치 + 었어요 → 고쳤어요
现在 : 고치 + 어요 → 고쳐요
将来 : 고치 + ㄹ 거예요 → 고칠 거예요

(164) 끄다 [kkeuda]

熄灭

使燃烧的火不再燃烧。

过去时 : 끄 + 었어요 → 껐어요
现在 : 끄 + 어요 → 꺼요
将来 : 끄 + ㄹ 거예요 → 끌 거예요

(165) 빨다 [ppalda]

洗

将衣服等放在水里，用手揉搓或用洗衣机除去污渍。

过去时 : 빨 + 았어요 → **빨았어요**

现在 : 빨 + 아요 → **빨아요**

将来 : 빨 + ㄹ 거예요 → **빨 거예요**

(166) 설거지하다 [seolgeojihada]

刷碗，洗碗

用餐后刷洗并整理餐具。

过去时 : 설거지하 + 였어요 → **설거지했어요**

现在 : 설거지하 + 여요 → **설거지해요**

将来 : 설거지하 + ㄹ 거예요 → **설거지할 거예요**

(167) 세탁하다 [setakada]

洗衣服

洗涤脏衣物等。

过去时 : 세탁하 + 였어요 → **세탁했어요**

现在 : 세탁하 + 여요 → **세탁해요**

将来 : 세탁하 + ㄹ 거예요 → **세탁할 거예요**

(168) 정리하다 [jeongnihada]

整理，收拾，清理

将处于散乱状态的东西归整到一起或扔掉。

过去时 : 정리하 + 였어요 → **정리했어요**

现在 : 정리하 + 여요 → **정리해요**

将来 : 정리하 + ㄹ 거예요 → **정리할 거예요**

(169) 청소하다 [cheongsohada]

打扫, 清扫 , 扫除

将肮脏杂乱的东西收拾干净。

过去时 : 청소하 + 였어요 → 청소했어요
现在 : 청소하 + 여요 → 청소해요
将来 : 청소하 + ㄹ 거예요 → 청소할 거예요

(170) 켜다 [kyeoda]

点着, 打着, 开

点灯或蜡烛, 或用火柴、打火机等点火。

过去时 : 켜 + 었어요 → 켰어요
现在 : 켜 + 어요 → 켜요
将来 : 켜 + ㄹ 거예요 → 켤 거예요

(171) 말리다 [mallida]

晾干, 晒干, 风干

使水分全部蒸发而消失。

过去时 : 말리 + 었어요 → 말렸어요
现在 : 말리 + 어요 → 말려요
将来 : 말리 + ㄹ 거예요 → 말릴 거예요

(172) 삶다 [samda]

煮

放在水中烧。

过去时 : 삶 + 았어요 → 삶았어요
现在 : 삶 + 아요 → 삶아요
将来 : 삶 + 을 거예요 → 삶을 거예요

(173) 쓸다 [sseulda]

扫，划拉

推拢到一处而清除。

过去时 : 쓸 + 었어요 → 쓸었어요

现在 : 쓸 + 어요 → 쓸어요

将来 : 쓸 + ㄹ 거예요 → 쓸 거예요

(174) 가져가다 [gajeogada]

带走，拿走

把某个东西从一个地方搬去另一个地方。

过去时 : 가져가 + 았어요 → 가져갔어요

现在 : 가져가 + 아요 → 가져가요

将来 : 가져가 + ㄹ 거예요 → 가져갈 거예요

(175) 가져오다 [gajeooda]

带来，拿来，取来

把某个东西从一个地方搬到另一个地方。

过去时 : 가져오 + 았어요 → 가져왔어요

现在 : 가져오 + 아요 → 가져와요

将来 : 가져오 + ㄹ 거예요 → 가져올 거예요

(176) 거절하다 [geojeolhada]

拒绝，谢绝

不接受别人的请求、提议或礼物等。

过去时 : 거절하 + 였어요 → 거절했어요

现在 : 거절하 + 여요 → 거절해요

将来 : 거절하 + ㄹ 거예요 → 거절할 거예요

(177) 걸다 [geolda]
打

拨打电话。

过去时 : 걸 + 었어요 → 걸었어요
现在 : 걸 + 어요 → 걸어요
将来 : 걸 + ㄹ 거예요 → 걸 거예요

(178) 기다리다 [gidarida]
等，等待

直到人、时机到来或某事完成为止，一直打发时间。

过去时 : 기다리 + 었어요 → 기다렸어요
现在 : 기다리 + 어요 → 기다려요
将来 : 기다리 + ㄹ 거예요 → 기다릴 거예요

(179) 나누다 [nanuda]
交流，交换，交谈

互相说话、谈论或问候等。

过去时 : 나누 + 었어요 → 나눴어요
现在 : 나누 + 어요 → 나눠요
将来 : 나누 + ㄹ 거예요 → 나눌 거예요

(180) 데려가다 [deryeogada]
带去，带走，领去

让他人跟自己一起去。

过去时 : 데려가 + 았어요 → 데려갔어요
现在 : 데려가 + 아요 → 데려가요
将来 : 데려가 + ㄹ 거예요 → 데려갈 거예요

(181) 데려오다 [deryeooda]
带来，领来，招来

让他人跟自己一起来。

过去时：데려오 + 았어요 → 데려왔어요
现在：데려오 + 아요 → 데려와요
将来：데려오 + ㄹ 거예요 → 데려올 거예요

(182) 데이트하다 [deiteuhada]
约会

男女想互相交往而见面。

过去时：데이트하 + 였어요 → 데이트했어요
现在：데이트하 + 여요 → 데이트해요
将来：데이트하 + ㄹ 거예요 → 데이트할 거예요

(183) 도와주다 [dowajuda]
帮忙，帮助

帮别人做事或助人一臂之力。

过去时：도와주 + 었어요 → 도와줬어요
现在：도와주 + 어요 → 도와줘요
将来：도와주 + ㄹ 거예요 → 도와줄 거예요

(184) 돌려주다 [dollyeojuda]
还给，归还，退还

把借、抢或收到的财物还给原主。

过去时：돌려주 + 었어요 → 돌려줬어요
现在：돌려주 + 어요 → 돌려줘요
将来：돌려주 + ㄹ 거예요 → 돌려줄 거예요

(185) 돕다 [dopda]

帮，帮助

给别人正在做的事打下手或添帮手。

过去时 : 돕 + 았어요 → 도왔어요

现在 : 돕 + 아요 → 도와요

将来 : 돕 + ㄹ 거예요 → 도울 거예요

(186) 드리다 [deurida]

致，呈，献，奉上

(尊称)给。

过去时 : 드리 + 었어요 → 드렸어요

现在 : 드리 + 어요 → 드려요

将来 : 드리 + ㄹ 거예요 → 드릴 거예요

(187) 만나다 [mannada]

见面，相逢

其中一人来或去，二人因而相见。

过去时 : 만나 + 았어요 → 만났어요

现在 : 만나 + 아요 → 만나요

将来 : 만나 + ㄹ 거예요 → 만날 거예요

(188) 바꾸다 [bakkuda]

换，更换，调换

去掉原来的东西，用其他东西替代。

过去时 : 바꾸 + 었어요 → 바꿨어요

现在 : 바꾸 + 어요 → 바꿔요

将来 : 바꾸 + ㄹ 거예요 → 바꿀 거예요

(189) 받다 [batda]

收到，得到

拿到他人给的或送来的东西。

过去时：받 + 았어요 → **받았어요**
现在：받 + 아요 → **받아요**
将来：받 + 을 거예요 → **받을 거예요**

(190) 방문하다 [bangmunhada]

访问，拜访，登门

为了探望某人或观看某物而到某处去。

过去时：방문하 + 였어요 → **방문했어요**
现在：방문하 + 여요 → **방문해요**
将来：방문하 + ㄹ 거예요 → **방문할 거예요**

(191) 보내다 [bonaeda]

送，寄

把人或东西等弄到别的地方去。

过去时：보내 + 었어요 → **보냈어요**
现在：보내 + 어요 → **보내요**
将来：보내 + ㄹ 거예요 → **보낼 거예요**

(192) 보다 [boda]

看，观看，观赏

用眼睛享受或欣赏某个对象。

过去时：보 + 았어요 → **봤어요**
现在：보 + 아요 → **봐요**
将来：보 + ㄹ 거예요 → **볼 거예요**

(193) 뵈다 [boeda]

拜见

与长辈见面。

过去时 : 뵈 + 었어요 → 뵀어요
现在 : 뵈 + 어요 → 봬요
将来 : 뵈 + ㄹ 거예요 → 뵐 거예요

(194) 부탁하다 [butakada]

拜托，委托

请求或托付他人办理某事。

过去时 : 부탁하 + 였어요 → 부탁했어요
现在 : 부탁하 + 여요 → 부탁해요
将来 : 부탁하 + ㄹ 거예요 → 부탁할 거예요

(195) 사귀다 [sagwida]

交，结交，交往

相互了解并亲近地相处。

过去时 : 사귀 + 었어요 → 사귀었어요
现在 : 사귀 + 어요 → 사귀어요
将来 : 사귀 + ㄹ 거예요 → 사귈 거예요

(196) 세배하다 [sebaehada]

拜年

春节时向长辈行磕头礼。

过去时 : 세배하 + 였어요 → 세배했어요
现在 : 세배하 + 여요 → 세배해요
将来 : 세배하 + ㄹ 거예요 → 세배할 거예요

(197) 소개하다 [sogaehada]

介绍

给互不认识的双方牵线搭桥，使双方相识。

过去时 : 소개하 + 였어요 → 소개했어요

现在 : 소개하 + 여요 → 소개해요

将来 : 소개하 + ㄹ 거예요 → 소개할 거예요

(198) 신청하다 [sincheonghada]

申请

向团体或机关等正式对某事做出要求。

过去时 : 신청하 + 였어요 → 신청했어요

现在 : 신청하 + 여요 → 신청해요

将来 : 신청하 + ㄹ 거예요 → 신청할 거예요

(199) 실례하다 [sillyehada]

不礼貌，失礼，失敬

言行有违礼仪。

过去时 : 실례하 + 였어요 → 실례했어요

现在 : 실례하 + 여요 → 실례해요

将来 : 실례하 + ㄹ 거예요 → 실례할 거예요

(200) 싸우다 [ssauda]

打架，争斗

想要获胜而用语言或力气等进行较量。

过去时 : 싸우 + 었어요 → 싸웠어요

现在 : 싸우 + 어요 → 싸워요

将来 : 싸우 + ㄹ 거예요 → 싸울 거예요

(201) 안내하다 [annaehada]

介绍，讲解

将某个内容告知。

过去时 : 안내하 + 였어요 → **안내했어요**
现在 : 안내하 + 여요 → **안내해요**
将来 : 안내하 + ㄹ 거예요 → **안내할 거예요**

(202) 약속하다 [yaksokada]

约定，约好

与他人事先定好做某事。

过去时 : 약속하 + 였어요 → **약속했어요**
现在 : 약속하 + 여요 → **약속해요**
将来 : 약속하 + ㄹ 거예요 → **약속할 거예요**

(203) 얻다 [eotda]

得到，白得

不付出特别的努力或代价而获得。

过去时 : 얻 + 었어요 → **얻었어요**
现在 : 얻 + 어요 → **얻어요**
将来 : 얻 + 을 거예요 → **얻을 거예요**

(204) 연락하다 [yeollakada]

联系，联络，通知

转告某个事实。

过去时 : 연락하 + 였어요 → **연락했어요**
现在 : 연락하 + 여요 → **연락해요**
将来 : 연락하 + ㄹ 거예요 → **연락할 거예요**

(205) 이기다 [igida]

赢, 战胜, 打败

在打赌、竞赛或战争等中压制对手, 创造佳绩。

过去时 : 이기 + 었어요 → 이겼어요

现在 : 이기 + 어요 → 이겨요

将来 : 이기 + ㄹ 거예요 → 이길 거예요

(206) 인사하다 [insahada]

问候, 打招呼

见面或分开时表现得有礼节。

过去时 : 인사하 + 였어요 → 인사했어요

现在 : 인사하 + 여요 → 인사해요

将来 : 인사하 + ㄹ 거예요 → 인사할 거예요

(207) 전하다 [jeonhada]

转交

将物品移交给对方。

过去时 : 전하 + 였어요 → 전했어요

现在 : 전하 + 여요 → 전해요

将来 : 전하 + ㄹ 거예요 → 전할 거예요

(208) 정하다 [jeonghada]

定, 选定

从几个里面选一个。

过去时 : 정하 + 였어요 → 정했어요

现在 : 정하 + 여요 → 정해요

将来 : 정하 + ㄹ 거예요 → 정할 거예요

(209) 주다 [juda]

给予，给

把东西等递给别人，让别人拥有或使用。

过去时 : 주 + 었어요 → 줬어요
现在 : 주 + 어요 → 줘요
将来 : 주 + ㄹ 거예요 → 줄 거예요

(210) 지다 [jida]

输

在比赛或战争中败给对方。

过去时 : 지 + 었어요 → 졌어요
现在 : 지 + 어요 → 져요
将来 : 지 + ㄹ 거예요 → 질 거예요

(211) 지키다 [jikida]

遵守

不违反约定、法律、礼仪、规定等而严格遵照。

过去时 : 지키 + 었어요 → 지켰어요
现在 : 지키 + 어요 → 지켜요
将来 : 지키 + ㄹ 거예요 → 지킬 거예요

(212) 찾아가다 [chajagada]

去，去找，去见，拜访

去见某人或去做某事。

过去时 : 찾아가 + 았어요 → 찾아갔어요
现在 : 찾아가 + 아요 → 찾아가요
将来 : 찾아가 + ㄹ 거예요 → 찾아갈 거예요

(213) 찾아오다 [chajaoda]

来找，来访，访问

来见某人或做某事。

过去时 : 찾아오 + 았어요 → 찾아왔어요

现在 : 찾아오 + 아요 → 찾아와요

将来 : 찾아오 + ㄹ 거예요 → 찾아올 거예요

(214) 초대하다 [chodaehada]

邀请，招待

请人来参加某些场合、聚会、活动等。

过去时 : 초대하 + 였어요 → 초대했어요

现在 : 초대하 + 여요 → 초대해요

将来 : 초대하 + ㄹ 거예요 → 초대할 거예요

(215) 축하하다 [chukahada]

祝贺，庆贺，道贺

对于别人发生的好事开心地表示问候。

过去时 : 축하하 + 였어요 → 축하했어요

现在 : 축하하 + 여요 → 축하해요

将来 : 축하하 + ㄹ 거예요 → 축하할 거예요

(216) 취소하다 [chwisohada]

取消，解除

把已发表、承诺或预定好的事情撤销掉。

过去时 : 취소하 + 였어요 → 취소했어요

现在 : 취소하 + 여요 → 취소해요

将来 : 취소하 + ㄹ 거예요 → 취소할 거예요

(217) 헤어지다 [heeojida]

分别，分离

和在一起的人分开。

过去时 : 헤어지 + 었어요 → 헤어졌어요

现在 : 헤어지 + 어요 → 헤어져요

将来 : 헤어지 + ㄹ 거예요 → 헤어질 거예요

(218) 환영하다 [hwanyeonghada]

欢迎

对来客高兴愉快地迎接。

过去时 : 환영하 + 였어요 → 환영했어요

现在 : 환영하 + 여요 → 환영해요

将来 : 환영하 + ㄹ 거예요 → 환영할 거예요

(219) 갈아타다 [garatada]

换乘，倒

从坐着的交通工具上下来，改坐别的交通工具。

过去时 : 갈아타 + 았어요 → 갈아탔어요

现在 : 갈아타 + 아요 → 갈아타요

将来 : 갈아타 + ㄹ 거예요 → 갈아탈 거예요

(220) 건너가다 [geonneogada]

过，跨过，渡过

从江河或桥、道路等的一边去另一边。

过去时 : 건너가 + 았어요 → 건너갔어요

现在 : 건너가 + 아요 → 건너가요

将来 : 건너가 + ㄹ 거예요 → 건너갈 거예요

(221) 건너다 [geonneoda]

过，跨过，渡过

越过或经过某物，移动到对面。

过去时 : 건너 + 었어요 → 건넜어요

现在 : 건너 + 어요 → 건너요

将来 : 건너 + ㄹ 거예요 → 건널 거예요

(222) 내리다 [naerida]

下，下去

从乘坐的交通工具上出来而到某处。

过去时 : 내리 + 었어요 → 내렸어요

现在 : 내리 + 어요 → 내려요

将来 : 내리 + ㄹ 거예요 → 내릴 거예요

(223) 도착하다 [dochakada]

到达

抵达目的地。

过去时 : 도착하 + 였어요 → 도착했어요

现在 : 도착하 + 여요 → 도착해요

将来 : 도착하 + ㄹ 거예요 → 도착할 거예요

(224) 막히다 [makida]

堵住

由于交通堵塞，车辆无法正常行驶。

过去时 : 막히 + 었어요 → 막혔어요

现在 : 막히 + 어요 → 막혀요

将来 : 막히 + ㄹ 거예요 → 막힐 거예요

(225) 안전하다 [anjeonhada]
安全

不用担心会发生危险或事故。

过去时 : 안전하 + 였어요 → 안전했어요
现在 : 안전하 + 여요 → 안전해요
将来 : 안전하 + ㄹ 거예요 → 안전할 거예요

(226) 운전하다 [unjeonhada]
驾驶，操纵

使机器或汽车运转，并进行操作。

过去时 : 운전하 + 였어요 → 운전했어요
现在 : 운전하 + 여요 → 운전해요
将来 : 운전하 + ㄹ 거예요 → 운전할 거예요

(227) 위험하다 [wiheomhada]
危险

有可能受到损害或伤害而不安全。

过去时 : 위험하 + 였어요 → 위험했어요
现在 : 위험하 + 여요 → 위험해요
将来 : 위험하 + ㄹ 거예요 → 위험할 거예요

(228) 주차하다 [juchahada]
停车，停放车辆

把汽车等停在一定的地方。

过去时 : 주차하 + 였어요 → 주차했어요
现在 : 주차하 + 여요 → 주차해요
将来 : 주차하 + ㄹ 거예요 → 주차할 거예요

(229) 출발하다 [chulbalhada]

出发

离开原地向某处去。

过去时：출발하 + 였어요 → **출발했어요**
现在：출발하 + 여요 → **출발해요**
将来：출발하 + ㄹ 거예요 → **출발할 거예요**

(230) 타다 [tada]

乘，乘坐

坐到交通工具或当作交通工具的动物背上。

过去时：타 + 았어요 → **탔어요**
现在：타 + 아요 → **타요**
将来：타 + ㄹ 거예요 → **탈 거예요**

(231) 출근하다 [chulgeunhada]

上班

去单位工作。

过去时：출근하 + 였어요 → **출근했어요**
现在：출근하 + 여요 → **출근해요**
将来：출근하 + ㄹ 거예요 → **출근할 거예요**

(232) 출퇴근하다 [chultoegeunhada]

上下班

上班或下班。

过去时：출퇴근하 + 였어요 → **출퇴근했어요**
现在：출퇴근하 + 여요 → **출퇴근해요**
将来：출퇴근하 + ㄹ 거예요 → **출퇴근할 거예요**

(233) 취직하다 [chwijikada]

就业，就职

找到一份工作而去单位上班。

过去时 : 취직하 + 였어요 → **취직했어요**

现在 : 취직하 + 여요 → **취직해요**

将来 : 취직하 + ㄹ 거예요 → **취직할 거예요**

(234) 퇴근하다 [toegeunhada]

下班

做完岗位上的工作，返回家里。

过去时 : 퇴근하 + 였어요 → **퇴근했어요**

现在 : 퇴근하 + 여요 → **퇴근해요**

将来 : 퇴근하 + ㄹ 거예요 → **퇴근할 거예요**

(235) 회의하다 [hoeuihada]

会议，开会

几个人聚在一起议论。

过去时 : 회의하 + 였어요 → **회의했어요**

现在 : 회의하 + 여요 → **회의해요**

将来 : 회의하 + ㄹ 거예요 → **회의할 거예요**

(236) 거짓말하다 [geojinmalhada]

说谎，撒谎

把非事实编造得像事实一样。

过去时 : 거짓말하 + 였어요 → **거짓말했어요**

现在 : 거짓말하 + 여요 → **거짓말해요**

将来 : 거짓말하 + ㄹ 거예요 → **거짓말할 거예요**

(237) 농담하다 [nongdamhada]

开玩笑

开别人的玩笑或说搞笑的话。

过去时 : 농담하 + 였어요 → 농담했어요
现在 : 농담하 + 여요 → 농담해요
将来 : 농담하 + ㄹ 거예요 → 농담할 거예요

(238) 대답하다 [daedapada]

回答，解答

对问或要求的事情做出相应的答复。

过去时 : 대답하 + 였어요 → 대답했어요
现在 : 대답하 + 여요 → 대답해요
将来 : 대답하 + ㄹ 거예요 → 대답할 거예요

(239) 대화하다 [daehwahada]

聊天，对话

相互面对面进行交谈。

过去时 : 대화하 + 였어요 → 했어요
现在 : 대화하 + 여요 → 해요
将来 : 대화하 + ㄹ 거예요 → 할 거예요

(240) 드리다 [deurida]

致，道

向上级或年长者说话或打招呼。

过去时 : 드리 + 었어요 → 드렸어요
现在 : 드리 + 어요 → 드려요
将来 : 드리 + ㄹ 거예요 → 드릴 거예요

(241) 말하다 [malhada]

说，讲

用话语表达某种事实、自己的想法或感觉等。

过去时：말하 + 였어요 → 말했어요
现在：말하 + 여요 → 말해요
将来：말하 + ㄹ 거예요 → 말할 거예요

(242) 묻다 [mutda]

问

要求回答或说明。

过去时：묻 + 었어요 → 물었어요
现在：묻 + 어요 → 물어요
将来：묻 + 을 거예요 → 물을 거예요

(243) 물어보다 [mureoboda]

问，打听

为弄清某事而发问。

过去时：물어보 + 았어요 → 물어봤어요
现在：물어보 + 아요 → 물어봐요
将来：물어보 + ㄹ 거예요 → 물어볼 거예요

(244) 설명하다 [seolmyeonghada]

说明

向别人浅显易懂地解说某事或某物。

过去时：설명하 + 였어요 → 설명했어요
现在：설명하 + 여요 → 설명해요
将来：설명하 + ㄹ 거예요 → 설명할 거예요

(245) 쓰다 [sseuda]

写

用铅笔或其它笔等书写工具在纸张等上划线而书写一定的字。

过去时 : 쓰 + 었어요 → 썼어요

现在 : 쓰 + 어요 → 써요

将来 : 쓰 + ㄹ 거예요 → 쓸 거예요

(246) 얘기하다 [yaegihada]

说话，聊天

和他人一起讲话。

过去时 : 얘기하 + 였어요 → 얘기했어요

现在 : 얘기하 + 여요 → 얘기해요

将来 : 얘기하 + ㄹ 거예요 → 얘기할 거예요

(247) 읽다 [ikda]

阅读

看文字了解其意思。

过去时 : 읽 + 었어요 → 읽었어요

现在 : 읽 + 어요 → 읽어요

将来 : 읽 + 을 거예요 → 읽을 거예요

(248) 질문하다 [jilmunhada]

提问，问

询问不懂或想知道的问题。

过去时 : 질문하 + 였어요 → 질문했어요

现在 : 질문하 + 여요 → 질문해요

将来 : 질문하 + ㄹ 거예요 → 질문할 거예요

(249) 칭찬하다 [chingchanhada]

称赞，赞扬

用言语表达对优点、好事等的喜爱。

过去时 : 칭찬하 + 였어요 → 칭찬했어요
现在 : 칭찬하 + 여요 → 칭찬해요
将来 : 칭찬하 + ㄹ 거예요 → 칭찬할 거예요

(250) 끊다 [kkeunta]

挂断，切断

中断用电话或互联网进行的对话或意见交流。

过去时 : 끊 + 었어요 → 끊었어요
现在 : 끊 + 어요 → 끊어요
将来 : 끊 + 을 거예요 → 끊을 거예요

(251) 부치다 [buchida]

寄，汇，邮

发送信件或东西等。

过去时 : 부치 + 었어요 → 부쳤어요
现在 : 부치 + 어요 → 부쳐요
将来 : 부치 + ㄹ 거예요 → 부칠 거예요

(252) 줄이다 [jurida]

缩小，裁剪

使物体的长度、宽度或面积等变得比原来小。

过去时 : 줄이 + 었어요 → 줄였어요
现在 : 줄이 + 어요 → 줄여요
将来 : 줄이 + ㄹ 거예요 → 줄일 거예요

(253) 줄다 [julda]

缩小, 减少, 减轻

物体的长度、宽度或体积等变得比原来小。

过去时 : 줄 + 었어요 → 줄었어요

现在 : 줄 + 어요 → 줄어요

将来 : 줄 + ㄹ 거예요 → 줄 거예요

(254) 비다 [bida]

空

某个空间里没有任何人或任何事物。

过去时 : 비 + 었어요 → 비었어요

现在 : 비 + 어요 → 비어요

将来 : 비 + ㄹ 거예요 → 빌 거예요

(255) 모자라다 [mojarada]

不够, 不足

达不到规定的数量或程度。

过去时 : 모자라 + 았어요 → 모자랐어요

现在 : 모자라 + 아요 → 모자라요

将来 : 모자라 + ㄹ 거예요 → 모자랄 거예요

(256) 늘다 [neulda]

增大, 增长, 增加

物体的长度、宽度或体积等变得比原来长或大。

过去时 : 늘 + 었어요 → 늘었어요

现在 : 늘 + 어요 → 늘어요

将来 : 늘 + ㄹ 거예요 → 늘 거예요

(257) 남다 [namda]

剩，剩下

没用完，留下了一部分。

过去时：남 + 았어요 → 남았어요
现在：남 + 아요 → 남아요
将来：남 + 을 거예요 → 남을 거예요

(258) 남기다 [namgida]

剩，剩下

没用完，留下了一部分。

过去时：남기 + 었어요 → 남겼어요
现在：남기 + 어요 → 남겨요
将来：남기 + ㄹ 거예요 → 남길 거예요

(259) 오다 [oda]

下，来

降雨雪或寒潮来临。

过去时：오 + 았어요 → 왔어요
现在：오 + 아요 → 와요
将来：오 + ㄹ 거예요 → 올 거예요

(260) 불다 [bulda]

刮，吹

风起而向某个方向移动。

过去时：불 + 었어요 → 불었어요
现在：불 + 어요 → 불어요
将来：불 + ㄹ 거예요 → 불 거예요

(261) 내리다 [naerida]

下，落

雪或雨等降下。

过去时：내리 + 었어요 → 내렸어요

现在：내리 + 어요 → 내려요

将来：내리 + ㄹ 거예요 → 내릴 거예요

(262) 그치다 [geuchida]

停止，结束

一直持续的事情、动作、现象等不再继续，停下来。

过去时：그치 + 었어요 → 그쳤어요

现在：그치 + 어요 → 그쳐요

将来：그치 + ㄹ 거예요 → 그칠 거예요

(263) 배우다 [baeuda]

学，学习

获得新知识。

过去时：배우 + 었어요 → 배웠어요

现在：배우 + 어요 → 배워요

将来：배우 + ㄹ 거예요 → 배울 거예요

(264) 가르치다 [gareuchida]

教，教授，传授

说明知识或技术等，使熟知。

过去时：가르치 + 었어요 → 가르쳤어요

现在：가르치 + 어요 → 가르쳐요

将来：가르치 + ㄹ 거예요 → 가르칠 거예요

(265) 팔다 [palda]

卖，出售

收取钱财将物品或权利交给对方或提供劳动力等。

过去时：팔 + 았어요 → 팔았어요
现在：팔 + 아요 → 팔아요
将来：팔 + ㄹ 거예요 → 팔 거예요

(266) 팔리다 [pallida]

被卖掉，被卖出

收取钱财后，物品或权利被交给对方或劳动力等被提供。

过去时：팔리 + 었어요 → 팔렸어요
现在：팔리 + 어요 → 팔려요
将来：팔리 + ㄹ 거예요 → 파릴 거예요

(267) 올리다 [ollida]

提高，抬高

使价格、数值或劲头等变高或变多。

过去时：올리 + 었어요 → 올렸어요
现在：올리 + 어요 → 올려요
将来：올리 + ㄹ 거예요 → 올릴 거예요

(268) 사다 [sada]

买，购买

用钱使某种东西或权利为己所有。

过去时：사 + 았어요 → 샀어요
现在：사 + 아요 → 사요
将来：사 + ㄹ 거예요 → 살 거예요

(269) 빌리다 [billida]

借

一定时间内使用别人的东西或钱等，并约定事后还回或支付代价。

过去时 : 빌리 + 었어요 → 빌렸어요

现在 : 빌리 + 어요 → 빌려요

将来 : 빌리 + ㄹ 거예요 → 빌릴 거예요

(270) 벌다 [beolda]

赚，挣

通过工作获得或攒下钱财。

过去时 : 벌 + 었어요 → 벌었어요

现在 : 벌 + 어요 → 벌어요

将来 : 벌 + ㄹ 거예요 → 벌 거예요

(271) 들다 [deulda]

需要，花费

为做某事而耗费钱、时间、努力等。

过去时 : 들 + 었어요 → 들었어요

现在 : 들 + 어요 → 들어요

将来 : 들 + ㄹ 거예요 → 들 거예요

(272) 깎다 [kkakda]

砍价，减，扣

降低价格、金额、程度等。

过去时 : 깎 + 았어요 → 깎았어요

现在 : 깎 + 아요 → 깎아요

将来 : 깎 + 을 거예요 → 깎을 거예요

(273) 갚다 [gapda]

还，偿还

送回借来的东西。

过去时 : 갚 + 았어요 → 갚았어요
现在 : 갚 + 아요 → 갚아요
将来 : 갚 + 을 거예요 → 갚을 거예요

(274) 통화하다 [tonghwahada]

通话

用电话交谈。

过去时 : 통화하 + 였어요 → 통화했어요
现在 : 통화하 + 여요 → 통화해요
将来 : 통화하 + ㄹ 거예요 → 통화할 거예요

(275) 교환하다 [gyohwanhada]

调换，交换

用其他物品换某物。

过去时 : 교환하 + 였어요 → 교환했어요
现在 : 교환하 + 여요 → 교환해요
将来 : 교환하 + ㄹ 거예요 → 교환할 거예요

(276) 배달하다 [baedalhada]

配送，投递，送货

把邮件、东西或食物等送到别人手中。

过去时 : 배달하 + 였어요 → 배달했어요
现在 : 배달하 + 여요 → 배달해요
将来 : 배달하 + ㄹ 거예요 → 배달할 거예요

(277) 선택하다 [seontaekada]
选，选择

从多个中挑出需要的。

过去时 : 선택하 + 였어요 → 선택했어요
现在 : 선택하 + 여요 → 선택해요
将来 : 선택하 + ㄹ 거예요 → 선택할 거예요

(278) 할인하다 [harinhada]
打折，优惠，降价

从定好的价格中减掉一些。

过去时 : 할인하 + 였어요 → 할인했어요
现在 : 할인하 + 여요 → 할인해요
将来 : 할인하 + ㄹ 거예요 → 할인할 거예요

(279) 환전하다 [hwanjeonhada]
兑换，换钱，换

把一个国家的货币对换成另外一个国家的货币。

过去时 : 환전하 + 였어요 → 환전했어요
现在 : 환전하 + 여요 → 환전해요
将来 : 환전하 + ㄹ 거예요 → 환전할 거예요

(280) 결석하다 [gyeolseokada]
缺席，缺勤

不去学校或不出席会议等正式场合。

过去时 : 결석하 + 였어요 → 결석했어요
现在 : 결석하 + 여요 → 결석해요
将来 : 결석하 + ㄹ 거예요 → 결석할 거예요

(281) 공부하다 [gongbuhada]

学习，读书

通过学习学问或技术而获得知识。

过去时 : 공부하 ＋ 였어요 → **공부했어요**

现在 : 공부하 ＋ 여요 → **공부해요**

将来 : 공부하 ＋ ㄹ 거예요 → **공부할 거예요**

(282) 교육하다 [gyoyukada]

教育，培训

为了培养个人能力，教授知识、教养和技术等。

过去时 : 교육하 ＋ 였어요 → **교육했어요**

现在 : 교육하 ＋ 여요 → **교육해요**

将来 : 교육하 ＋ ㄹ 거예요 → **교육할 거예요**

(283) 복습하다 [bokseupada]

复习

再次学习学过的东西。

过去时 : 복습하 ＋ 였어요 → **복습했어요**

现在 : 복습하 ＋ 여요 → **복습해요**

将来 : 복습하 ＋ ㄹ 거예요 → **복습할 거예요**

(284) 숙제하다 [sukjehada]

做作业，做练习

为让学生复习或预习而布置的在课后做的作业。

过去时 : 숙제하 ＋ 였어요 → **숙제했어요**

现在 : 숙제하 ＋ 여요 → **숙제해요**

将来 : 숙제하 ＋ ㄹ 거예요 → **숙제할 거예요**

(285) 연습하다 [yeonseupada]
练习，排练，演习

像实际状况一样反复地练熟。

过去时：연습하 ＋ 였어요 → 연습했어요
现在：연습하 ＋ 여요 → 연습해요
将来：연습하 ＋ ㄹ 거예요 → 연습할 거예요

(286) 예습하다 [yeseupada]
预习

事先学习不久后将要学的内容。

过去时：예습하 ＋ 였어요 → 예습했어요
现在：예습하 ＋ 여요 → 예습해요
将来：예습하 ＋ ㄹ 거예요 → 예습할 거예요

(287) 입학하다 [ipakada]
入学

为了学习而进入学校，成为学生。

过去时：입학하 ＋ 였어요 → 입학했어요
现在：입학하 ＋ 여요 → 입학해요
将来：입학하 ＋ ㄹ 거예요 → 입학할 거예요

(288) 졸업하다 [joreopada]
毕业

学生修完学校规定的全部课程。

过去时：졸업하 ＋ 였어요 → 졸업했어요
现在：졸업하 ＋ 여요 → 졸업해요
将来：졸업하 ＋ ㄹ 거예요 → 졸업할 거예요

(289) 지각하다 [jigakada]

迟到

比规定时间晚上班或上学。

过去时 : 지각하 + 였어요 → **지각했어요**
现在 : 지각하 + 여요 → **지각해요**
将来 : 지각하 + ㄹ 거예요 → **지각할 거예요**

(290) 출석하다 [chulseokada]

出勤，出席，到场

上课或参加聚会等。

过去时 : 출석하 + 였어요 → **출석했어요**
现在 : 출석하 + 여요 → **출석해요**
将来 : 출석하 + ㄹ 거예요 → **출석할 거예요**

한국어(韩国语)

형용사(形容词) 137

(1) 고프다 [gopeuda]
饿，饥饿

肚子空了，想吃东西。

배가 <u>고파요</u>.

baega gopayo.

배+가 <u>고프(고프)+아요</u>.
　　　　　고파요

배 : 腹部
가 : 助词。表示行为的主体或状态描述的对象。
고프다 : 饿，饥饿
-아요 : (普尊)终结语尾。表示叙述某个事实，或提问、命令、劝说。<叙述>

(2) 부르다 [bureuda]
饱

吃东西后，感到肚子里满满的。

배가 <u>불러요</u>.

baega bulleoyo.

배+가 <u>부르(불ㄹ)+어요</u>.
　　　　　불러요

배 : 腹部
가 : 助词。表示行为的主体或状态描述的对象。
부르다 : 饱
-어요 : (普尊)终结语尾。表示叙述某个事实，或提问、命令、劝说。<叙述>

(3) 아프다 [apeuda]
疼，痛，不舒服

因受伤或生病，而感到痛症或痛苦。

목이 <u>아파요</u>.

mogi apayo.

목+이 <u>아프(아프)+아요</u>.

　　　　　　아파요

목 : 脖子，颈

이 : 助词。表示行为的主体或状态描述的对象。

아프다 : 疼，痛，不舒服

-아요 : (普尊)终结语尾。表示叙述某个事实，或提问、命令、劝说。<叙述>

(4) 고맙다 [gomapda]

感谢，感激

因别人为自己做了什么，内心感到很满足，并想给予回报。

도와줘서 <u>고마워요</u>.

dowajwoseo gomawoyo.

도와주+어서 <u>고맙(고마우)+어요</u>.

　　　　　　　　고마워요

도와주다 : 帮忙，帮助

-어서 : 连接语尾。表示理由或根据。

고맙다 : 感谢，感激

-어요 : (普尊)终结语尾。表示叙述某个事实，或提问、命令、劝说。<叙述>

(5) 괜찮다 [gwaenchanta]

不错

挺好。

맛이 <u>괜찮아요</u>.

masi gwaenchanayo.

맛+이 괜찮+아요.

맛 : 味，味道
이 : 助词。表示行为的主体或状态描述的对象。
괜찮다 : 不错
-아요 : (普尊)终结语尾。表示叙述某个事实，或提问、命令、劝说。＜叙述＞

(6) 귀엽다 [gwiyeopda]

可爱

看起来漂亮，或令人喜爱。

얼굴이 귀여워요.

eolguri gwiyeowoyo.

얼굴+이 귀엽(귀여우)+어요.
　　　　　　 귀여워요

얼굴 : 容貌
이 : 助词。表示行为的主体或状态描述的对象。
귀엽다 : 可爱
-어요 : (普尊)终结语尾。表示叙述某个事实，或提问、命令、劝说。＜叙述＞

(7) 귀찮다 [gwichanta]

麻烦，厌烦

不喜欢，讨厌。

씻기가 귀찮아요.

ssitgiga gwichanayo.

씻+기+가 귀찮+아요.

씻다 : 洗，刷
-기 : 语尾。使前面的词语具有名词功能。
가 : 助词。表示行为的主体或状态描述的对象。
귀찮다 : 麻烦，厌烦
-아요 : (普尊)终结语尾。表示叙述某个事实，或提问、命令、劝说。＜叙述＞

(8) 그립다 [geuripda]

思念，怀念

非常想念，想见面。

가족이 그리워요.

gajogi geuriwoyo.

가족+이 그립(그리우)+어요.
　　　　　　그리워요

가족 : 家庭，家人
이 : 助词。表示行为的主体或状态描述的对象。
그립다 : 思念，怀念
–어요 : (普尊)终结语尾。表示叙述某个事实，或提问、命令、劝说。＜叙述＞

(9) 기쁘다 [gippeuda]

高兴，开心

心情非常好，十分愉快。

시험에 합격해서 기뻐요.

siheome hapgyeokaeseo gippeoyo.

시험+에 합격하+여서 기쁘(기뻐)+어요.
　　　　　　　　　　　기뻐요

시험 : 考试
에 : 助词。表示某行为或感情等的对象。
합격하다 : 合格，及格，通过
–여서 : 连接语尾。表示理由或根据。
기쁘다 : 高兴，开心
–어요 : (普尊)终结语尾。表示叙述某个事实，或提问、命令、劝说。＜叙述＞

(10) 답답하다 [dapdapada]

烦闷，堵得慌，发闷

像要窒息或难以呼吸。

가슴이 <u>답답해요</u>.

gaseumi dapdapaeyo.

가슴+이 <u>답답하+여요</u>.
　　　　　　답답해요

가슴 : 胸口，心口
이 : 助词。表示行为的主体或状态描述的对象。
답답하다 : 烦闷，堵得慌，发闷
-여요 : (普尊)终结语尾。表示叙述某个事实，或提问、命令、劝说。＜叙述＞

(11) 무섭다 [museopda]
怕，害怕，可怕，恐惧
忌讳某个对象或担心出什么事。

귀신이 <u>무서워요</u>.

gwisini museowoyo.

귀신+이 <u>무섭(무서우)+어요</u>.
　　　　　　무서워요

귀신 : 鬼神
이 : 助词。表示行为的主体或状态描述的对象。
무섭다 : 怕，害怕，可怕，恐惧
-어요 : (普尊)终结语尾。表示叙述某个事实，或提问、命令、劝说。＜叙述＞

(12) 반갑다 [bangapda]
高兴，开心，喜悦
因见到想见的人或实现了愿望而感到欢喜愉快。

만나게 되어 <u>반가워요</u>.

mannage doeeo bangawoyo.

만나+[게 되]+어 <u>반갑(반가우)+어요</u>.
　　　　　　　　반가워요

만나다 : 见面，相逢
-게 되다 : 表示成为前面内容所表达的状态或状况。
-어 : 连接语尾。表示前句是后句的原因或理由。
반갑다 : 高兴，开心，喜悦
-어요 : (普尊)终结语尾。表示叙述某个事实，或提问、命令、劝说。<叙述>

(13) 부끄럽다 [bukkeureopda]

害羞，羞涩，腼腆

感到不好意思或难为情。

칭찬해 주시니 <u>부끄러워요</u>.
chingchanhae jusini bukkeureowoyo.

<u>칭찬하</u>+[여 주]+시+니 <u>부끄럽(부끄러우)</u>+어요.
　　칭찬해 주시니　　　　부끄러워요

칭찬하다 : 称赞，赞扬
-여 주다 : 表示为别人做前面表达的行动。
-시- : 语尾。表示对某个动作或状态主体的尊敬。
-니 : 连接语尾。表示前句是后句的原因、依据或前提。
부끄럽다 : 害羞，羞涩，腼腆
-어요 : (普尊)终结语尾。表示叙述某个事实，或提问、命令、劝说。<叙述>

(14) 부럽다 [bureopda]

羡慕，眼馋

别人的事情或东西看起来很好时心里希望自己也能够做成那件事或得到那个东西。

한국어 잘하는 사람이 <u>부러워요</u>.
hangugeo jalhaneun sarami bureowoyo.

한국어 잘하+는 사람+이 <u>부럽(부러우)</u>+어요.
　　　　　　　　　　　부러워요

한국어 : 韩国语，韩语
잘하다 : 善于，擅长
-는 : 语尾。使前面的词具有定语功能，表示事件或动作现在正在发生。

사람 : 人
이 : 助词。表示行为的主体或状态描述的对象。
부럽다 : 羡慕，眼馋
-어요 : (普尊)终结语尾。表示叙述某个事实，或提问、命令、劝说。＜叙述＞

(15) 불쌍하다 [bulssanghada]
可怜

境遇或情况不好，让人哀怜和伤心。

주인을 잃은 강아지가 <u>불쌍해요</u>.
juineul ireun gangajiga bulssanghaeyo.

주인＋을 잃＋은 강아지＋가 불쌍하＋<u>여요</u>.
　　　　　　　　　　　　　　불쌍해요

주인 : 主人，物主
을 : 助词。表示动作直接涉及的对象。
잃다 : 失去
-은 : 语尾。使前面的词具有定语功能，表示事件或动作完成后其状态一直持续。
강아지 : 小狗，狗崽
가 : 助词。表示行为的主体或状态描述的对象。
불쌍하다 : 可怜
-여요 : (普尊)终结语尾。表示叙述某个事实，或提问、命令、劝说。＜叙述＞

(16) 섭섭하다 [seopseopada]
难舍，不舍

舍不得，很惋惜。

선생님과 헤어지기가 <u>섭섭해요</u>.
seonsaengnimgwa heeojigiga seopseopaeyo.

선생님＋과 헤어지＋기＋가 섭섭하＋<u>여요</u>.
　　　　　　　　　　　　섭섭해요

선생님 : 老师，教师
과 : 助词。表示做某事时针对的对象。

헤어지다 : 分别，分离
-기 : 语尾。使前面的词语具有名词功能。
가 : 助词。表示行为的主体或状态描述的对象。
섭섭하다 : 难舍，不舍
-여요 : (普尊)终结语尾。表示叙述某个事实，或提问、命令、劝说。<叙述>

(17) 소중하다 [sojunghada]
珍贵

非常宝贵。

가족이 가장 소중해요.
gajogi gajang sojunghaeyo.

가족+이 가장 소중하+여요.
　　　　　　　　소중해요

가족 : 家庭，家人
이 : 助词。表示行为的主体或状态描述的对象。
가장 : 最
소중하다 : 珍贵
-여요 : (普尊)终结语尾。表示叙述某个事实，或提问、命令、劝说。<叙述>

(18) 슬프다 [seulpeuda]
悲伤的，伤心的

心里痛苦难受得落泪。

영화의 내용이 슬퍼요.
yeonghwae naeyongi seulpeoyo.

영화+의 내용+이 슬프(슬ㅍ)+어요.
　　　　　　　　슬퍼요

영화 : 电影
의 : 助词。表示所有、所属、所在、关系、来源、主体等关系。
내용 : 内容
이 : 助词。表示行为的主体或状态描述的对象。

슬프다 : 悲伤的，伤心的
-어요 : (普尊)终结语尾。表示叙述某个事实，或提问、命令、劝说。＜叙述＞

(19) 시원하다 [siwonhada]

凉爽，凉快

不冷不热，适当清凉。

바람이 <u>시원해요</u>.

barami siwonhaeyo.

바람＋이 <u>시원하＋여요</u>.
　　　　　시원해요

바람 : 风
이 : 助词。表示行为的主体或状态描述的对象。
시원하다 : 凉爽，凉快
-여요 : (普尊)终结语尾。表示叙述某个事实，或提问、命令、劝说。＜叙述＞

(20) 싫다 [silta]

讨厌

不中意。

매운 음식이 <u>싫어요</u>.

maeun eumsigi sireoyo.

<u>맵(매우)＋ㄴ</u> 음식＋이 싫＋어요.
　매운

맵다 : 辣
-ㄴ : 语尾。使前面的词具有定语功能，表示现在的状态。
음식 : 食物，食品
이 : 助词。表示行为的主体或状态描述的对象。
싫다 : 讨厌
-어요 : (普尊)终结语尾。表示叙述某个事实，或提问、命令、劝说。＜叙述＞

(21) 외롭다 [oeropda]
孤单，孤独
独自一人或没有可依靠的地方，孤寂落寞。

지금 몹시 <u>외로워요</u>.
jigeum mopsi oerowoyo.

지금 몹시 <u>외롭(외로우)+어요</u>.
　　　　　　　外로워요

지금 : 现在，这会儿
몹시 : 十分，非常，太
외롭다 : 孤单，孤独
-어요 : (普尊)终结语尾。表示叙述某个事实，或提问、命令、劝说。<叙述>

(22) 좋다 [jota]
好，美，优良，优美
性质或内容等很优秀，让人满意。

이 물건은 품질이 <u>좋아요</u>.
i mulgeoneun pumjiri joayo.

이 물건+은 품질+이 좋+아요.

이 : 这，这个
물건 : 东西，物品，物件
은 : 助词。表示某个对象是句中的话题。
품질 : 品质，质量
이 : 助词。表示行为的主体或状态描述的对象。
좋다 : 好，美，优良，优美
-아요 : (普尊)终结语尾。表示叙述某个事实，或提问、命令、劝说。<叙述>

(23) 죄송하다 [joesonghada]
抱歉，愧疚
好像犯了错一样感觉十分过意不去。

늦어서 <u>죄송해요</u>.
neujeoseo joesonghaeyo.

늦+어서 <u>죄송하+여요</u>.
　　　　　 죄송해요

늦다 : 晚，迟到
-어서 : 连接语尾。表示理由或根据。
죄송하다 : 抱歉，愧疚
-여요 : (普尊)终结语尾。表示叙述某个事实，或提问、命令、劝说。＜叙述＞

(24) 즐겁다 [jeulgeopda]

愉快，欢乐，欢快
内心满意、满足且快乐。

여행은 언제나 <u>즐거워요</u>.
yeohaengeun eonjena jeulgeowoyo.

여행+은 언제나 <u>즐겁(즐거우)+어요</u>.
　　　　　　　　　즐거워요

여행 : 旅行，旅游，游行
은 : 助词。表示某个对象是句中的话题。
언제나 : 一直，总是
즐겁다 : 愉快，欢乐，欢快
-어요 : (普尊)终结语尾。表示叙述某个事实，或提问、命令、劝说。＜叙述＞

(25) 급하다 [geupada]

急
处境或情况处于需要赶紧处理的状态。

갑자기 급한 일이 생겼어요.
gapjagi geupan iri saenggyeosseoyo.

갑자기 <u>급하</u>+ㄴ 일+이 <u>생기</u>+었+<u>어요</u>.
   급한   생겼어요

갑자기 : 突然, 忽然, 猛地, 一下子
급하다 : 急
-ㄴ : 语尾。使前面的词具有定语功能, 表示现在的状态。
일 : 事, 工作
이 : 助词。表示行为的主体或状态描述的对象。
생기다 : 发生, 产生
-었- : 语尾。表示某一事件已结束或其结果保持到现在。
-어요 : (普尊)终结语尾。表示叙述某个事实, 或提问、命令、劝说。<叙述>

(26) 조용하다 [joyonghada]
文静
寡言少语, 行为斯文。

<u>도서관에서는 조용하게</u> 말하세요.
doseogwaneseoneun joyonghage malhaseyo.

도서관+에서+는 조용하+게 말하+세요.

도서관 : 图书馆
에서 : 助词。表示前面的内容为动作所进行的地点。
는 : 助词。表示某个对象是句中的话题。
조용하다 : 文静
-게 : 连接语尾。表示前面的内容为后面所指事情的目的、结果、方式或程度等。
말하다 : 说, 讲
-세요 : (普尊)终结语尾。表示说明、疑问、命令、请求。<命令>

(27) 곧다 [gotda]
直
路、线、姿势等端正不歪。

<u>허리를 곧게</u> 펴세요.
heorireul gotge pyeoseyo.

허리+를 곧+게 펴+세요.

허리 : 腰
를 : 助词。表示动作直接涉及的对象。
곧다 : 直
-게 : 连接语尾。表示前面的内容为后面所指事情的目的、结果、方式或程度等。
펴다 : 展开
-세요 : (普尊)终结语尾。表示说明、疑问、命令、请求。＜命令＞

(28) 까다롭다 [kkadaropda]

棘手，难办

条件或方法很复杂、很严格，所以很难处理。

이 문제는 <u>까다로워요</u>.
i munjeneun kkadarowoyo.

이 문제+는 <u>까다롭(까다로우)</u>+어요.
                까따로워요

이 : 这，这个
문제 : 题，问题
는 : 助词。表示某个对象是句中的话题。
까다롭다 : 棘手，难办
-어요 : (普尊)终结语尾。表示叙述某个事实，或提问、命令、劝说。＜叙述＞

(29) 깔끔하다 [kkalkkeumhada]

洁净，利落

外观端正、干净。

방이 아주 <u>깔끔해요</u>.
bangi aju kkalkkeumhaeyo.

방+이 아주 <u>깔끔하</u>+여요.
              깔끔해요

방 : 房间
이 : 助词。表示行为的主体或状态描述的对象。
아주 : 非常，极其，很
깔끔하다 : 洁净，利落
-여요 : (普尊)终结语尾。表示叙述某个事实，或提问、命令、劝说。＜叙述＞

(30) 냉정하다 [naengjeonghada]
冷漠，冷冰冰
没有温情，态度很冷淡。

성격이 냉정해요.
seonggyeogi naengjeonghaeyo.

성격+이 냉정하+여요.
　　　　　냉정해요

성격 : 性格
이 : 助词。表示行为的主体或状态描述的对象。
냉정하다 : 冷漠，冷冰冰
-여요 : (普尊)终结语尾。表示叙述某个事实，或提问、命令、劝说。＜叙述＞

(31) 너그럽다 [neogeureopda]
宽厚，大度
善于体谅别人，心胸宽广。

마음이 너그러워요.
maeumi neogeureowoyo.

마음+이 너그럽(너그러우)+어요.
　　　　　　너그러워요

마음 : 心情，心绪
이 : 助词。表示行为的主体或状态描述的对象。
너그럽다 : 宽厚，大度
-어요 : (普尊)终结语尾。表示叙述某个事实，或提问、命令、劝说。＜叙述＞

(32) 느긋하다 [neugeutada]

轻松，悠闲

不急不躁，内心从容。

숙제를 끝내서 마음이 <u>느긋해요</u>.

sukjereul kkeunnaeseo maeumi neugeutaeyo.

숙제+를 끝내+어서 마음+이 <u>느긋하</u>+여요.
　　　　　끝내서　　　　　　　느긋해요

숙제 : 作业
를 : 助词。表示动作直接涉及的对象。
끝내다 : 结束，完成
-어서 : 连接语尾。表示理由或根据。
마음 : 心情，心绪
이 : 助词。表示行为的主体或状态描述的对象。
느긋하다 : 轻松，悠闲
-여요 : (普尊)终结语尾。表示叙述某个事实，或提问、命令、劝说。<叙述>

(33) 다정하다 [dajeonghada]

多情，深情，亲密

内心温暖，富有温情。

아버지는 가족들에게 무척 <u>다정해요</u>.

abeojineun gajokdeurege mucheok dajeonghaeyo.

아버지+는 가족+들+에게 무척 <u>다정하</u>+여요.
　　　　　　　　　　　　　　　다정해요

아버지 : 父亲，爸爸
는 : 助词。表示某个对象是句中的话题。
가족 : 家庭，家人
들 : 后缀。指"复数"。
에게 : 助词。表示某个动作所涉及的对象。
무척 : 非常，很
다정하다 : 多情，深情，亲密
-여요 : (普尊)终结语尾。表示叙述某个事实，或提问、命令、劝说。<叙述>

(34) 못되다 [motdoeda]

恶劣, 坏

从道德的角度上认为品行不佳。

동생은 못된 버릇이 있어요.

dongsaengeun motdoen beoreusi isseoyo.

동생+은 못되+ㄴ 버릇+이 있+어요.
　　　　　못된

동생 : 弟弟；妹妹
은 : 助词。表示某个对象是句中的话题。
못되다 : 恶劣, 坏
-ㄴ : 语尾。使前面的词具有定语功能, 表示现在的状态。
버릇 : 习惯, 习性
이 : 助词。表示行为的主体或状态描述的对象。
있다 : 有, 具有
-어요 : (普尊)终结语尾。表示叙述某个事实, 或提问、命令、劝说。＜叙述＞

(35) 변덕스럽다 [byeondeokseureopda]

变化无常, 善变

言语、行动、感情等总是变来变去。

요즘 날씨가 변덕스러워요.

yojeum nalssiga byeondeokseureowoyo.

요즘 날씨+가 변덕스럽(변덕스러우)+어요.
　　　　　　　변덕스러워요

요즘 : 最近, 近来, 这阵子
날씨 : 天气
가 : 助词。表示行为的主体或状态描述的对象。
변덕스럽다 : 变化无常, 善变
-어요 : (普尊)终结语尾。表示叙述某个事实, 或提问、命令、劝说。＜叙述＞

(36) 솔직하다 [soljikada]
坦诚，坦率

不虚伪，不做作。

묻는 말에 솔직하게 대답하세요.

munneun mare soljikage daedapaseyo.

묻+는 말+에 솔직하+게 대답하+세요.

묻다 : 问
-는 : 语尾。使前面的词具有定语功能，表示事件或动作现在正在发生。
말 : 话，语言
에 : 助词。表示某行为或感情等的对象。
솔직하다 : 坦诚，坦率
-게 : 连接语尾。表示前面的内容为后面所指事情的目的、结果、方式或程度等。
대답하다 : 回答，解答
-세요 : (普尊)终结语尾。表示说明、疑问、命令、请求。＜命令＞

(37) 순수하다 [sunsuhada]
单纯，纯真

没有个人欲望或不好的想法。

순수하게 세상을 살고 싶어요.

sunsuhage sesangeul salgo sipeoyo.

순수하+게 세상+을 살+[고 싶]+어요.

순수하다 : 单纯，纯真
-게 : 连接语尾。表示前面的内容为后面所指事情的目的、结果、方式或程度等。
세상 : 天下，世界
을 : 助词。表示动作直接涉及的对象。
살다 : 生活，过活，过日子
-고 싶다 : 表示有做前面行动的意愿。
-어요 : (普尊)终结语尾。表示叙述某个事实，或提问、命令、劝说。＜叙述＞

(38) 순진하다 [sunjinhada]

纯真，天真

内心无修饰，真实。

그 사람은 어린아이처럼 순진해요.

geu sarameun eorinaicheoreom sunjinhaeyo.

그 사람+은 어린아이+처럼 순진하+여요.
순진해요

그 ： 那个
사람 ： 人
은 ： 助词。表示某个对象是句中的话题。
어린아이 ： 小孩
처럼 ： 助词。表示样子或程度相似或相同。
순진하다 ： 纯真，天真
-여요 ： (普尊)终结语尾。表示叙述某个事实，或提问、命令、劝说。＜叙述＞

(39) 순하다 [sunhada]

温顺，驯良

性格、态度等温和善良。

아이가 성격이 순해요.

aiga seonggyeogi sunhaeyo.

아이+가 성격+이 순하+여요.
순해요

아이 ： 小孩，孩子
가 ： 助词。表示行为的主体或状态描述的对象。
성격 ： 性格
이 ： 助词。表示行为的主体或状态描述的对象。
순하다 ： 温顺，驯良
-여요 ： (普尊)终结语尾。表示叙述某个事实，或提问、命令、劝说。＜叙述＞

(40) 활발하다 [hwalbalhada]

活泼，活跃，生龙活虎

有生机，充满力量。

나는 활발한 사람이 좋아요.

naneun hwalbalhan sarami joayo.

나+는 활발하+ㄴ 사람+이 좋+아요.
　　　　　활발한

나 : 我

는 : 助词。表示某个对象是句中的话题。

활발하다 : 活泼，活跃，生龙活虎

-ㄴ : 语尾。使前面的词具有定语功能，表示现在的状态。

사람 : 人

이 : 助词。表示行为的主体或状态描述的对象。

좋다 : 喜爱，喜欢

-아요 : (普尊)终结语尾。表示叙述某个事实，或提问、命令、劝说。<叙述>

(41) 게으르다 [geeureuda]

懒，懒惰

动作迟缓，不喜欢动弹或做事。

게으른 사람은 성공하지 못해요.

geeureun sarameun seonggonghaji motaeyo.

게으르+ㄴ 사람+은 성공하+[지 못하]+여요.
　게으른　　　　　　　성공하지 못해요

게으르다 : 懒，懒惰

-ㄴ : 语尾。使前面的词具有定语功能，表示现在的状态。

사람 : 人

은 : 助词。表示某个对象是句中的话题。

성공하다 : 成功

-지 못하다 : 表示没有能力做前面所指的行为，或不如主语所愿。

-여요 : (普尊)终结语尾。表示叙述某个事实，或提问、命令、劝说。<叙述>

(42) 부지런하다 [bujireonhada]

勤奋, 勤快, 勤勉, 勤恳

具有不偷懒、坚持不懈、努力做事的倾向。

부지런한 사람이 성공할 수 있어요.

bujireonhan sarami seonggonghal su isseoyo.

부지런하+ㄴ 사람+이 성공하+[ㄹ 수 있]+어요.
　부지런한　　　　　　　성공할 수 있어요

부지런하다 : 勤奋, 勤快, 勤勉, 勤恳
-ㄴ : 语尾。使前面的词具有定语功能，表示现在的状态。
사람 : 人
이 : 助词。表示行为的主体或状态描述的对象。
성공하다 : 成功
-ㄹ 수 있다 : 表示某种行为或状态有可能发生。
-어요 : (普尊)终结语尾。表示叙述某个事实，或提问、命令、劝说。＜叙述＞

(43) 착하다 [chakada]

善良

心灵或行动等美好正直，十分温和。

그녀는 마음씨가 착해요.

geunyeoneun maeumssiga chakaeyo.

그녀+는 마음씨+가 착하+여요.
　　　　　　　　　착해요

그녀 : 她
는 : 助词。表示某个对象是句中的话题。
마음씨 : 心地
가 : 助词。表示行为的主体或状态描述的对象。
착하다 : 善良
-여요 : (普尊)终结语尾。表示叙述某个事实，或提问、命令、劝说。＜叙述＞

(44) 친절하다 [chinjeolhada]

亲切，关切，热情

待人的态度和蔼可亲。

가게 주인은 모든 손님에게 <u>친절해요</u>.

gage juineun modeun sonnimege chinjeolhaeyo.

가게 주인+은 모든 손님+에게 <u>친절하+여요</u>.
친절해요

가게 : 店，店铺，商店
주인 : 主人，物主
은 : 助词。表示某个对象是句中的话题。
모든 : 全，所有
손님 : 客人，顾客
에게 : 助词。表示某个动作所涉及的对象。
친절하다 : 亲切，关切，热情
-여요 : (普尊)终结语尾。表示叙述某个事实，或提问、命令、劝说。<叙述>

(45) 날씬하다 [nalssinhada]

苗条，修长，颀长

身材高挑，甚是好看。

모델은 몸매가 <u>날씬해요</u>.

modereun mommaega nalssinhaeyo.

모델+은 몸매+가 <u>날씬하+여요</u>.
날씬해요

모델 : 时装模特
은 : 助词。表示某个对象是句中的话题。
몸매 : 身材，身姿
가 : 助词。表示行为的主体或状态描述的对象。
날씬하다 : 苗条，修长，颀长
-여요 : (普尊)终结语尾。表示叙述某个事实，或提问、命令、劝说。<叙述>

(46) 뚱뚱하다 [ttungttunghada]

胖乎乎

长肉而身体向侧面扩张。

요즘은 뚱뚱한 청소년이 많아졌어요.

yojeumeun ttungttunghan cheongsonyeoni manajeosseoyo.

요즘+은 뚱뚱하+ㄴ 청소년+이 많아지+었+어요.
　　　　　뚱뚱한　　　　　　　많아졌어요

요즘 : 最近，近来，这阵子
은 : 助词。表示某个对象是句中的话题。
뚱뚱하다 : 胖乎乎
-ㄴ : 语尾。使前面的词具有定语功能，表示现在的状态。
청소년 : 青少年
이 : 助词。表示行为的主体或状态描述的对象。
많아지다 : 增多
-었- : 语尾。表示某一事件已结束或其结果保持到现在。
-어요 : (普尊)终结语尾。表示叙述某个事实，或提问、命令、劝说。〈叙述〉

(47) 아름답다 [areumdapda]

美丽，漂亮

对象、嗓音或颜色等令眼睛和耳朵都感到愉快和满足。

여기 경치가 무척 아름다워요.

yeogi gyeongchiga mucheok areumdawoyo.

여기 경치+가 무척 아름답(아름다우)+어요.
　　　　　　　　　　아름다워요

여기 : 这里，这儿
경치 : 风景，景色
가 : 助词。表示行为的主体或状态描述的对象。
무척 : 非常，很
아름답다 : 美丽，漂亮
-어요 : (普尊)终结语尾。表示叙述某个事实，或提问、命令、劝说。〈叙述〉

(48) 어리다 [eorida]

年轻

年纪小。

내 동생은 아직 어려요.

nae dongsaengeun ajik eoryeoyo.

나+의 동생+은 아직 어리+어요.
　내　　　　　　　　　어려요

나 : 我
의 : 助词。表示所有、所属、所在、关系、来源、主体等关系。
동생 : 弟弟；妹妹
은 : 助词。表示某个对象是句中的话题。
아직 : 尚未，还，仍然
어리다 : 年轻
-어요 : (普尊)终结语尾。表示叙述某个事实，或提问、命令、劝说。<叙述>

(49) 예쁘다 [yeppeuda]

漂亮，好看

长相看起来美丽，让人喜欢。

구름이 참 예뻐요.

gureumi cham yeppeoyo.

구름+이 참 예쁘(예쁘)+어요.
　　　　　　　예뻐요

구름 : 云，云彩
이 : 助词。表示行为的主体或状态描述的对象。
참 : 真，实在，的确
예쁘다 : 漂亮，好看
-어요 : (普尊)终结语尾。表示叙述某个事实，或提问、命令、劝说。<叙述>

(50) 젊다 [jeomda]

年青, 年轻

正值壮年。

이 회사에는 젊은 사람들이 많아요.

i hoesaeneun jeolmeun saramdeuri manayo.

이 회사+에+는 젊+은 사람+들+이 많+아요.

이 : 这, 这个

회사 : 公司, 企业, 会社

에 : 助词。表示某个处所或地点。

는 : 助词。表示某个对象是句中的话题。

젊다 : 年青, 年轻

–은 : 语尾。使前面的词具有定语功能, 表示现在的状态。

사람 : 人

들 : 后缀。指"复数"。

이 : 助词。表示行为的主体或状态描述的对象。

많다 : 多, 丰富, 强

–아요 : (普尊)终结语尾。表示叙述某个事实, 或提问、命令、劝说。＜叙述＞

(51) 똑똑하다 [ttokttokada]

聪慧

聪明伶俐。

친구는 똑똑해서 공부를 잘해요.

chinguneun ttokttokaeseo gongbureul jalhaeyo.

친구+는 똑똑하+여서 공부+를 잘하+여요.
　　　　 똑똑해서 　　　　　　 잘해요

친구 : 朋友, 好友, 友人, 故旧

는 : 助词。表示某个对象是句中的话题。

똑똑하다 : 聪慧

–여서 : 连接语尾。表示理由或根据。

공부 : 学习, 读书

를 : 助词。表示动作直接涉及的对象。

잘하다 : 善于，擅长
-여요 : (普尊)终结语尾。表示叙述某个事实，或提问、命令、劝说。＜叙述＞

(52) 못하다 [motada]

不如，逊色

互相比较时，程度或水平未达到某个程度。

음식 맛이 예전보다 못해요.

eumsik masi yejeonboda motaeyo.

음식 맛+이 예전+보다 못하+여요.
　　　　　　　　　　　　못해요

음식 : 食物，食品
맛 : 味，味道
이 : 助词。表示行为的主体或状态描述的对象。
예전 : 很久以前
보다 : 助词。比较互相之间的差异时，作为比较的对象。
못하다 : 不如，逊色
-여요 : (普尊)终结语尾。表示叙述某个事实，或提问、命令、劝说。＜叙述＞

(53) 쉽다 [swipda]

容易，简单

做起来不累或不难。

시험 문제가 쉬웠어요.

siheom munjega swiwosseoyo.

시험 문제+가 쉽(쉬우)+었+어요.
　　　　　　　　쉬웠어요

시험 : 考试
문제 : 题，问题
가 : 助词。表示行为的主体或状态描述的对象。
쉽다 : 容易，简单
-었- : 语尾。表示某一事件已结束或其结果保持到现在。

-어요：(普尊)终结语尾。表示叙述某个事实，或提问、命令、劝说。＜叙述＞

(54) 어렵다 [eoryeopda]
难，不容易
做起来复杂或费力。

수학 문제는 항상 <u>어려워요</u>.

suhak munjeneun hangsang eoryeowoyo.

수학 문제+는 항상 <u>어렵(어려우)+어요</u>.
　　　　　　　　　　　어려워요

수학：数学
문제：题，问题
는：助词。表示某个对象是句中的话题。
항상：总，总是，老，老是，经常
어렵다：难，不容易
-어요：(普尊)终结语尾。表示叙述某个事实，或提问、命令、劝说。＜叙述＞

(55) 훌륭하다 [hullyunghada]
优秀，卓越
非常好、出色，值得称赞。

이 차의 성능은 <u>훌륭해요</u>.

i chae seongneungeun hullyunghaeyo.

이 차+의 성능+은 <u>훌륭하+여요</u>.
　　　　　　　　　훌륭해요

이：这，这个
차：车，车辆
의：助词。表示限定属性或数量，或相同资格。
성능：性能
은：助词。表示某个对象是句中的话题。
훌륭하다：优秀，卓越
-여요：(普尊)终结语尾。表示叙述某个事实，或提问、命令、劝说。＜叙述＞

(56) 힘들다 [himdeulda]

累, 费力, 费劲, 辛苦, 用力

有花费很多力气的一面。

이 동작은 너무 <u>힘들어요</u>.

i dongjageun neomu himdeureoyo.

이 동작+은 너무 힘들+어요.

이 : 这, 这个
동작 : 举动, 动作
은 : 助词。表示某个对象是句中的话题。
너무 : 太
힘들다 : 累, 费力, 费劲, 辛苦, 用力
-어요 : (普尊)终结语尾。表示叙述某个事实, 或提问、命令、劝说。<叙述>

(57) 궁금하다 [gunggeumhada]

好奇, 纳闷儿

非常想知道。

무슨 화장품을 쓰는지 <u>궁금해요</u>?

museun hwajangpumeul sseuneunji gunggeumhaeyo?

무슨 화장품+을 쓰+는지 <u>궁금하+여요</u>?
　　　　　　　　　　　　궁금해요

무슨 : 什么
화장품 : 化妆品
을 : 助词。表示动作直接涉及的对象。
쓰다 : 用, 使用
-는지 : 连接语尾。表示模糊的原因或判断。
궁금하다 : 好奇, 纳闷儿
-여요 : (普尊)终结语尾。表示叙述某个事实, 或提问、命令、劝说。<提问>

(58) 옳다 [olta]
对，正确

符合规范而端正。

그는 평생 옳은 삶을 살아 왔어요.

geuneun pyeongsaeng oreun salmeul sara wasseoyo.

그+는 평생 옳+은 삶+을 <u>살+[아 오]+았+어요</u>.
살아 왔어요

그 : 他
는 : 助词。表示某个对象是句中的话题。
평생 : 平生，一生，终生，终身，一辈子
옳다 : 对，正确
-은 : 语尾。使前面的词具有定语功能，表示现在的状态。
삶 : 生活
을 : 助词。表示名词形谓词作宾语。
살다 : 生活，过活，过日子
-아 오다 : 表示前面所指的行动或状态持续进行，不断靠近某个基准点。
-았- : 语尾。表示某一事件已结束或其结果保持到现在。
-어요 : (普尊)终结语尾。表示叙述某个事实，或提问、命令、劝说。<叙述>

(59) 바쁘다 [bappeuda]
忙，忙碌，紧张

因为要做的事情多或没有时间而无暇顾及其他。

식사를 못 할 정도로 바빠요.

siksareul mot hal jeongdoro bappayo.

식사+를 못 <u>하+ㄹ</u> 정도+로 <u>바쁘(바쁘)+아요</u>.
할 　　　　　　 바빠요

식사 : 用餐，就餐，餐
를 : 助词。表示动作直接涉及的对象。
못 : 不会做动词所指的动作。
하다 : 做，干
-ㄹ : 语尾。使前面的词具有定语的功能。

정도 : 程度

로 : 助词。表示某事的方法或方式。

바쁘다 : 忙，忙碌，紧张

-아요 : (普尊)终结语尾。表示叙述某个事实，或提问、命令、劝说。＜叙述＞

(60) 한가하다 [hangahada]
闲适，空闲
不忙，有余暇。

학교가 방학이어서 한가해요.
hakgyoga banghagieoseo hangahaeyo.

학교+가 방학+이+어서 한가하+여요.
　　　　　　　　　　　한가해요

학교 : 学校

가 : 助词。表示行为的主体或状态描述的对象。

방학 : 放假

이다 : 谓格助词。表示指定主语所指示的属性或类型。

-어서 : 连接语尾。表示理由或根据。

한가하다 : 闲适，空闲

-여요 : (普尊)终结语尾。表示叙述某个事实，或提问、命令、劝说。＜叙述＞

(61) 달다 [dalda]
甜，甘甜
与蜂蜜或糖的味道相似。

초콜릿이 너무 달아요.
chokollisi neomu darayo.

초콜릿+이 너무 달+아요.

초콜릿 : 巧克力

이 : 助词。表示行为的主体或状态描述的对象。

너무 : 太

달다 : 甜，甘甜

-아요 : (普尊)终结语尾。表示叙述某个事实，或提问、命令、劝说。<叙述>

(62) 맛없다 [madeopda]

不好吃，没味道，无味

食物的味道不好。

배가 불러서 다 <u>맛없어요</u>.

baega bulleoseo da maseopseoyo.

배+가 <u>부르(불르)+어서</u> 다 맛없+어요.
　　　　　　불러서

배 : 腹部
가 : 助词。表示行为的主体或状态描述的对象。
부르다 : 饱
-어서 : 连接语尾。表示理由或根据。
다 : 全，都
맛없다 : 不好吃，没味道，无味
-어요 : (普尊)终结语尾。表示叙述某个事实，或提问、命令、劝说。<叙述>

(63) 맛있다 [maditda]

好吃，可口，香

食物的味道好。

어머니가 해 주신 음식이 제일 <u>맛있어요</u>.

eomeoniga hae jusin eumsigi jeil masisseoyo.

어머니+가 <u>하+[여 주]+시+ㄴ</u> 음식+이 제일 맛있+어요.
　　　　　　　해 주신

어머니 : 母亲，妈妈
가 : 助词。表示行为的主体或状态描述的对象。
하다 : 做，作，置办
-여 주다 : 表示为别人做前面表达的行动。
-시- : 语尾。表示对某个动作或状态主体的尊敬。
-ㄴ : 语尾。使前面的词具有定语功能，表示事件或动作完成后其状态一直持续。

음식 : 食物, 食品
이 : 助词。表示行为的主体或状态描述的对象。
제일 : 最
맛있다 : 好吃, 可口, 香
-어요 : (普尊)终结语尾。表示叙述某个事实, 或提问、命令、劝说。<叙述>

(64) 맵다 [maepda]

辣

像辣椒或芥末等那样味道有刺激性, 舌尖有刺痛感。

김치가 너무 <u>매워요</u>.
gimchiga neomu maewoyo.

김치+가 너무 <u>맵(매우)+어요</u>.
　　　　　　　　　매워요

김치 : 辛奇
가 : 助词。表示行为的主体或状态描述的对象。
너무 : 太
맵다 : 辣
-어요 : (普尊)终结语尾。表示叙述某个事实, 或提问、命令、劝说。<叙述>

(65) 시다 [sida]

酸

味道跟醋一样。

과일이 모두 <u>셔요</u>.
gwairi modu syeoyo.

과일+이 모두 <u>시+어요</u>.
　　　　　　　　셔요

과일 : 水果
이 : 助词。表示行为的主体或状态描述的对象。
모두 : 都, 全
시다 : 酸

-어요 : (普尊)终结语尾。表示叙述某个事实，或提问、命令、劝说。<叙述>

(66) 시원하다 [siwonhada]

爽口，清爽

食物冰凉爽快、正合胃口，或热乎得让人畅快淋漓。

국물이 시원해요.

gungmuri siwonhaeyo.

국물+이 시원하+여요.
　　　　　　시원해요

국물 : 汤水，汤汁
이 : 助词。表示行为的主体或状态描述的对象。
시원하다 : 爽口，清爽
-여요 : (普尊)终结语尾。表示叙述某个事实，或提问、命令、劝说。<叙述>

(67) 싱겁다 [singgeopda]

淡，清淡

食物的咸味少。

찌개에 물을 넣어서 싱거워요.

jjigaee mureul neoeoseo singgeowoyo.

찌개+에 물+을 넣+어서 싱겁(싱거우)+어요.
　　　　　　　　　　　싱거워요

찌개 : 浓汤，汤，锅
에 : 助词。表示某行为或作用所涉及的对象。
물 : 水
을 : 助词。表示动作直接涉及的对象。
넣다 : 放入，加入
-어서 : 连接语尾。表示理由或根据。
싱겁다 : 淡，清淡
-어요 : (普尊)终结语尾。表示叙述某个事实，或提问、命令、劝说。<叙述>

(68) 쓰다 [sseuda]

苦

像药的滋味一样。

아이가 먹기에 약이 너무 <u>써요</u>.

aiga meokgie yagi neomu sseoyo.

아이+가 먹+기+에 약+이 너무 <u>쓰(ㅆ)+어요</u>.
써요

아이 : 小孩, 孩子
가 : 助词。表示行为的主体或状态描述的对象。
먹다 : 服, 吃
-기 : 语尾。使前面的词语具有名词功能。
에 : 助词。表示某事的条件、环境、状态等。
약 : 药
이 : 助词。表示行为的主体或状态描述的对象。
너무 : 太
쓰다 : 苦
-어요 : (普尊)终结语尾。表示叙述某个事实, 或提问、命令、劝说。<叙述>

(69) 짜다 [jjada]

咸

味道和盐一样。

소금을 많이 넣어서 국물이 <u>짜요</u>.

sogeumeul mani neoeoseo gungmuri jjayo.

소금+을 많이 넣+어서 국물+이 <u>짜+아요</u>.
짜요

소금 : 盐, 咸盐
을 : 助词。表示动作直接涉及的对象。
많이 : 多
넣다 : 放入, 加入
-어서 : 连接语尾。表示理由或根据。
국물 : 汤水, 汤汁

이 : 助词。表示行为的主体或状态描述的对象。

짜다 : 咸

-아요 : (普尊)终结语尾。表示叙述某个事实，或提问、命令、劝说。＜叙述＞

(70) 깨끗하다 [kkaekkeutada]

洁净，干净

事物不脏。

화장실이 정말 <u>깨끗해요</u>.

hwajangsiri jeongmal kkaekkeutaeyo.

화장실+이 정말 <u>깨끗하+여요</u>.
　　　　　　　　　　　깨끗해요

화장실 : 洗手间，卫生间

이 : 助词。表示行为的主体或状态描述的对象。

정말 : 真的

깨끗하다 : 洁净，干净

-여요 : (普尊)终结语尾。表示叙述某个事实，或提问、命令、劝说。＜叙述＞

(71) 더럽다 [deoreopda]

脏，污浊

沾有污渍或渣滓而脏污不干净。

차가 <u>더러워서</u> 세차를 했어요.

chaga deoreowoseo sechareul haesseoyo.

차+가 <u>더럽(더러우)+어서</u> 세차+를 <u>하+였+어요</u>.
　　　　더러워서　　　　　　　　　**했어요**

차 : 车，车辆

가 : 助词。表示行为的主体或状态描述的对象。

더럽다 : 脏，污浊

-어서 : 连接语尾。表示理由或根据。

세차 : 洗车

를 : 助词。表示动作直接涉及的对象。

하다：做，干

-였-：语尾。表示某一事件已结束或其结果保持到现在。

-어요：(普尊)终结语尾。表示叙述某个事实，或提问、命令、劝说。＜叙述＞

(72) 불편하다 [bulpyeonhada]

不便，不方便

使用时不便利。

이곳은 교통이 불편해요.

igoseun gyotongi bulpyeonhaeyo.

이곳+은 교통+이 불편하+여요.
　　　　　　　　　불편해요

이곳：这里，这儿

은：助词。表示某个对象是句中的话题。

교통：交通

이：助词。表示行为的主体或状态描述的对象。

불편하다：不便，不方便

-여요：(普尊)终结语尾。表示叙述某个事实，或提问、命令、劝说。＜叙述＞

(73) 시끄럽다 [sikkeureopda]

吵闹，喧嚣

声音大而嘈杂，令人听起来厌烦。

시끄러운 소리가 들려요.

sikkeureoun soriga deullyeoyo.

시끄럽(시끄러우)+ㄴ 소리+가 들리+어요.
　　시끄러운　　　　　　　들려요

시끄럽다：吵闹，喧嚣

-ㄴ：语尾。使前面的词具有定语功能，表示现在的状态。

소리：声音，声，音，动静

가：助词。表示行为的主体或状态描述的对象。

들리다：听到，传来

-어요 : (普尊)终结语尾。表示叙述某个事实，或提问、命令、劝说。＜叙述＞

(74) 조용하다 [joyonghada]

安静

听不见任何声音。

거리가 <u>조용해요</u>.

georiga joyonghaeyo.

거리+가 <u>조용하+여요</u>.
　　　　　　<u>조용해요</u>

거리 : 大街，街头，马路

가 : 助词。表示行为的主体或状态描述的对象。

조용하다 : 安静

-여요 : (普尊)终结语尾。表示叙述某个事实，或提问、命令、劝说。＜叙述＞

(75) 지저분하다 [jijeobunhada]

杂乱

某个地方东西不整理而乱七八糟。

길이 너무 <u>지저분해요</u>.

giri neomu jijeobunhaeyo.

길+이 너무 <u>지저분하+여요</u>.
　　　　　　　<u>지저분해요</u>

길 : 路，道，道路

이 : 助词。表示行为的主体或状态描述的对象。

너무 : 太

지저분하다 : 杂乱

-여요 : (普尊)终结语尾。表示叙述某个事实，或提问、命令、劝说。＜叙述＞

(76) 비싸다 [bissada]

贵

物品的价格或做某事所花的费用高于一般水平。

백화점은 시장보다 가격이 <u>비싸요</u>.

baekwajeomeun sijangboda gagyeogi bissayo.

백화점+은 시장+보다 가격+이 <u>비싸+아요</u>.
　　　　　　　　　　　　비싸요

백화점 : 百货商店
은 : 助词。表示某个对象是句中的话题。
시장 : 市场
보다 : 助词。比较互相之间的差异时，作为比较的对象。
가격 : 价格，价钱
이 : 助词。表示行为的主体或状态描述的对象。
비싸다 : 贵
-아요 : (普尊)终结语尾。表示叙述某个事实，或提问、命令、劝说。<叙述>

(77) 싸다 [ssada]

便宜，贱

价格低于一般价位。

이 동네는 집값이 <u>싸요</u>.

i dongneneun jipgapsi ssayo.

이 동네+는 집값+이 <u>싸+아요</u>.
　　　　　　　　　　싸요

이 : 这，这个
동네 : 小区，社区，村庄
는 : 助词。表示某个对象是句中的话题。
집값 : 房价
이 : 助词。表示行为的主体或状态描述的对象。
싸다 : 便宜，贱
-아요 : (普尊)终结语尾。表示叙述某个事实，或提问、命令、劝说。<叙述>

(78) 덥다 [deopda]

热，暑

体感气温高。

여름이 지났는데도 더워요.

yeoreumi jinanneundedo deowoyo.

여름+이 지나+았+는데도 덥(더우)+어요.
　　　　지났는데도　　　 더워요

여름 : 夏，夏天，夏季
이 : 助词。表示行为的主体或状态描述的对象。
지나다 : 过，过去
-았- : 语尾。表示某一事件已结束或其结果保持到现在。
-는데도 : 表示与前面表达的状况无关发生后面的状况。
덥다 : 热，暑
-어요 : (普尊)终结语尾。表示叙述某个事实，或提问、命令、劝说。＜叙述＞

(79) 따뜻하다 [ttatteutada]

暖和

温度适中，不觉得太热，达到心情舒适的程度。

날씨가 따뜻해요.

nalssiga ttatteutaeyo.

날씨+가 따뜻하+여요.
　　　 따뜻해요

날씨 : 天气
가 : 助词。表示行为的主体或状态描述的对象。
따뜻하다 : 暖和
-여요 : (普尊)终结语尾。表示叙述某个事实，或提问、命令、劝说。＜叙述＞

(80) 맑다 [makda]

晴朗，明朗

没有云雾，天气很好。

가을 하늘은 푸르고 맑아요.

gaeul haneureun pureugo malgayo.

가을 하늘+은 푸르+고 맑+아요.

가을 : 秋天，秋季
하늘 : 天空
은 : 助词。表示某个对象是句中的话题。
푸르다 : 蓝，绿
-고 : 连接语尾。表示罗列两个以上的对等的事实。
맑다 : 晴朗，明朗
-아요 : (普尊)终结语尾。表示叙述某个事实，或提问、命令、劝说。<叙述>

(81) 선선하다 [seonseonhada]

凉丝丝，凉爽

略使人感到凉，柔和而凉快。

이제 아침저녁으로 선선해요.

ije achimjeonyeogeuro seonseonhaeyo.

이제 아침저녁+으로 선선하+여요.
선선해요

이제 : 现在
아침저녁 : 早晚，朝夕
으로 : 助词。表示时间。
선선하다 : 凉丝丝，凉爽
-여요 : (普尊)终结语尾。表示叙述某个事实，或提问、命令、劝说。<叙述>

(82) 쌀쌀하다 [ssalssalhada]

凉飕飕

天气凉，感觉稍冷。

바람이 꽤 쌀쌀해요.

barami kkwae ssalssalhaeyo.

바람+이 꽤 쌀쌀하+여요.
　　　　　쌀쌀해요

바람 : 风
이 : 助词。表示行为的主体或状态描述的对象。
꽤 : 颇，相当，还
쌀쌀하다 : 凉飕飕
-여요 : (普尊)终结语尾。表示叙述某个事实，或提问、命令、劝说。<叙述>

(83) 춥다 [chupda]

冷

大气温度低。

날이 추우니 따뜻하게 입으세요.

nari chuuni ttatteutage ibeuseyo.

날+이 춥(추우)+니 따뜻하+게 입+으세요.
　　　　추우니

날 : 天气
이 : 助词。表示行为的主体或状态描述的对象。
춥다 : 冷
-니 : 连接语尾。表示前句是后句的原因、依据或前提。
따뜻하다 : 暖和
-게 : 连接语尾。表示前面的内容为后面所指事情的目的、结果、方式或程度等。
입다 : 穿
-으세요 : (普尊)终结语尾。表示说明、疑问、命令、请求。<命令>

(84) 흐리다 [heurida]

阴沉，阴

因为云或雾而天气不晴朗。

안개 때문에 <u>흐려서</u> 앞이 안 보여요.

angae ttaemune heuryeoseo api an boyeoyo.

안개 때문+에 <u>흐리+어서</u> 앞+이 안 <u>보이+어요</u>.
　　　　　　흐려서　　　　　　　　보여요

안개 : 雾，雾气
때문 : 因为，由于
에 : 助词。表示某事的原因。
흐리다 : 阴沉，阴
-어서 : 连接语尾。表示理由或根据。
앞 : 前，前面
이 : 助词。表示行为的主体或状态描述的对象。
안 : 不
보이다 : 让看见
-어요 : (普尊)终结语尾。表示叙述某个事实，或提问、命令、劝说。＜叙述＞

(85) 가늘다 [ganeulda]

细，纤细

物体的宽度窄或粗细单薄，且有一定长度。

저는 손가락이 <u>가늘어요</u>.

jeoneun songaragi ganeureoyo.

저+는 손가락+이 가늘+어요.

저 : 我
는 : 助词。表示某个对象是句中的话题。
손가락 : 手指
이 : 助词。表示行为的主体或状态描述的对象。
가늘다 : 细，纤细
-어요 : (普尊)终结语尾。表示叙述某个事实，或提问、命令、劝说。＜叙述＞

(86) 같다 [gatda]

相同，一样，一致

彼此并无差异。

저는 여동생과 키가 <u>같아요</u>.

jeoneun yeodongsaenggwa kiga gatayo.

저+는 여동생+과 키+가 같+아요.

저：我
는：助词。表示某个对象是句中的话题。
여동생：妹妹
과：助词。引进作为比较或基准的对象。
키：身高，身长，个子，个儿，个头儿
가：助词。表示行为的主体或状态描述的对象。
같다：相同，一样，一致
-아요：(普尊)终结语尾。表示叙述某个事实，或提问、命令、劝说。＜叙述＞

(87) 굵다 [gukda]

粗，粗大

长物体的周长很长或宽度很大。

저는 허리가 <u>굵어요</u>.

jeoneun heoriga gulgeoyo.

저+는 허리+가 굵+어요.

저：我
는：助词。表示某个对象是句中的话题。
허리：腰
가：助词。表示行为的主体或状态描述的对象。
굵다：粗，粗大
-어요：(普尊)终结语尾。表示叙述某个事实，或提问、命令、劝说。＜叙述＞

(88) 길다 [gilda]

长

从物体的一端到另一端相距甚远。

치마 길이가 길어요.

chima giriga gireoyo.

치마 길이+가 길+어요.

치마 : 裙，裙子
길이 : 长短，长度
가 : 助词。表示行为的主体或状态描述的对象。
길다 : 长
-어요 : (普尊)终结语尾。表示叙述某个事实，或提问、命令、劝说。＜叙述＞

(89) 깊다 [gipda]

深

上面到底面或表面到内部的距离远。

물이 깊으니 들어가지 마세요.

muri gipeuni deureogaji maseyo.

물+이 깊+으니 들어가+[지 말(마)]+세요.

들어가지 마세요

물 : 水
이 : 助词。表示行为的主体或状态描述的对象。
깊다 : 深
-으니 : 连接语尾。表示前句为后句的原因、依据或前提。
들어가다 : 进，进去
-지 말다 : 表示禁止进行前面所指的行为。
-세요 : (普尊)终结语尾。表示说明、疑问、命令、请求。＜命令＞

(90) 낮다 [natda]

低，矮，低洼

由下到上的距离较短。

저는 굽이 낮은 구두를 즐겨 신어요.

jeoneun gubi najeun gudureul jeulgyeo sineoyo.

저+는 굽+이 낮+은 구두+를 즐기+어 신+어요.
즐겨

저 : 我
는 : 助词。表示某个对象是句中的话题。
굽 : 鞋跟
이 : 助词。表示行为的主体或状态描述的对象。
낮다 : 低，矮，低洼
-은 : 语尾。使前面的词具有定语功能，表示现在的状态。
구두 : 皮鞋
를 : 助词。表示动作直接涉及的对象。
즐기다 : 喜欢，爱
-어 : 连接语尾。表示前句先于后句发生，或表示前句是后句的方法或手段。
신다 : 穿
-어요 : (普尊)终结语尾。表示叙述某个事实，或提问、命令、劝说。<叙述>

(91) 넓다 [neolda]

宽敞，宽阔，宽广

整个面或地面的面积很大。

넓은 이마를 가리려고 앞머리를 내렸어요.

neolbeun imareul gariryeogo ammeorireul naeryeosseoyo.

넓+은 이마+를 가리+려고 앞머리+를 내리+었+어요.
내렸어요

넓다 : 宽敞，宽阔，宽广
-은 : 语尾。使前面的词具有定语功能，表示现在的状态。
이마 : 额，前额，额头
를 : 助词。表示动作直接涉及的对象。

가리다 : 遮挡, 遮蔽, 蒙
-려고 : 连接语尾。表示有要做某个行动的意图或欲望。
앞머리 : 刘海
를 : 助词。表示动作直接涉及的对象。
내리다 : 降下, 拉下, 垂下
-었- : 语尾。表示某一事件已结束或其结果保持到现在。
-어요 : (普尊)终结语尾。表示叙述某个事实, 或提问、命令、劝说。＜叙述＞

(92) 높다 [nopda]
高

上下距离较长。

서울에는 높은 빌딩이 많아요.
seoureneun nopeun bildingi manayo.

서울+에+는 높+은 빌딩+이 많+아요.

서울 : 首尔
에 : 助词。表示某个处所或地点。
는 : 助词。表示某个对象是句中的话题。
높다 : 高
-은 : 语尾。使前面的词具有定语功能, 表示现在的状态。
빌딩 : 大楼, 高楼, 大厦
이 : 助词。表示行为的主体或状态描述的对象。
많다 : 多, 丰富, 强
-아요 : (普尊)终结语尾。表示叙述某个事实, 或提问、命令、劝说。＜叙述＞

(93) 다르다 [dareuda]
不同, 不一致

两个对象相互不一样。

저는 언니와 성격이 많이 달라요.
jeoneun eonniwa seonggyeogi mani dallayo.

저+는 언니+와 성격+이 많이 다르(달르)+아요.
달라요

저 : 我
는 : 助词。表示某个对象是句中的话题。
언니 : 姐姐
와 : 助词。引进作为比较或基准的对象。
성격 : 性格
이 : 助词。表示行为的主体或状态描述的对象。
많이 : 多
다르다 : 不同，不一致
-아요 : (普尊)终结语尾。表示叙述某个事实，或提问、命令、劝说。＜叙述＞

(94) 닮다 [damda]

像，随

指两个以上的人或事物拥有相似的长相或属性。

저는 언니와 안 닮았어요.

jeoneun eonniwa an dalmasseoyo.

저+는 언니+와 안 닮+았+어요.

저 : 我
는 : 助词。表示某个对象是句中的话题。
언니 : 姐姐
와 : 助词。引进作为比较或基准的对象。
안 : 不
닮다 : 像，随
-았- : 语尾。表示某一事件已结束或其结果保持到现在。
-어요 : (普尊)终结语尾。表示叙述某个事实，或提问、命令、劝说。＜叙述＞

(95) 두껍다 [dukkeopda]

厚，深厚

扁平物上下两面之间的距离大。

고기를 두껍게 썰어서 잘 안 익어요.

gogireul dukkeopge sseoreoseo jal an igeoyo.

고기+를 두껍+게 썰+어서 잘 안 익+어요.

고기 : 肉

를 : 助词。表示动作直接涉及的对象。

두껍다 : 厚，深厚

-게 : 连接语尾。表示前面的内容为后面所指事情的目的、结果、方式或程度等。

썰다 : 切，锯

-어서 : 连接语尾。表示理由或根据。

잘 : 正好，正巧

안 : 不

익다 : 熟

-어요 : (普尊)终结语尾。表示叙述某个事实，或提问、命令、劝说。＜叙述＞

(96) 똑같다 [ttokgatda]

完全一样，完全相同

事物的形状、分量、性质等毫无差别。

저와 <u>똑같은</u> 이름을 가진 사람들이 많아요.

jeowa ttokgateun ireumeul gajin saramdeuri manayo.

저+와 똑같+은 이름+을 <u>가지+ㄴ</u> 사람+들+이 많+아요.
가진

저 : 我

와 : 助词。引进作为比较或基准的对象。

똑같다 : 完全一样，完全相同

-은 : 语尾。使前面的词具有定语功能，表示现在的状态。

이름 : 名字

을 : 助词。表示动作直接涉及的对象。

가지다 : 持有，有

-ㄴ : 语尾。使前面的词具有定语功能，表示事件或动作完成后其状态一直持续。

사람 : 人

들 : 后缀。指"复数"。

이 : 助词。表示行为的主体或状态描述的对象。

많다 : 多，丰富，强

-아요 : (普尊)终结语尾。表示叙述某个事实，或提问、命令、劝说。＜叙述＞

(97) 멋있다 [meoditda]

帅气，优秀

很好或很出众。

새로 산 옷인데 <u>멋있어요</u>?

saero san osinde meosisseoyo?

새로 <u>사+ㄴ</u> <u>옷+이+ㄴ데</u> 멋있+어요?
　　　　산　　　옷인데

새로 : 重新

사다 : 买，购买

－ㄴ : 语尾。使前面的词具有定语功能，表示事件或动作完成后其状态一直持续。

옷 : 衣服，衣裳，服装

이다 : 谓格助词。表示指定主语所指示的属性或类型。

－ㄴ데 : 连接语尾。表示为了说后面的话而先说与其相关的状况。

멋있다 : 帅气，优秀

－어요 : (普尊)终结语尾。表示叙述某个事实，或提问、命令、劝说。＜提问＞

(98) 비슷하다 [biseutada]
类似，相似，相近

两种或两种以上的大小、模样、状态及性质等虽不完全相同，但有很多相像之处。

학교 건물이 모두 <u>비슷해요</u>.

hakgyo geonmuri modu biseutaeyo.

학교 건물+이 모두 <u>비슷하+여요</u>.
　　　　　　　　　비슷해요

학교 : 学校

건물 : 建筑，建筑物

이 : 助词。表示行为的主体或状态描述的对象。

모두 : 都，全

비슷하다 : 类似，相似，相近

－여요 : (普尊)终结语尾。表示叙述某个事实，或提问、命令、劝说。＜叙述＞

(99) 얇다 [yalda]
薄

厚度不厚。

얇은 옷을 입고 나와서 좀 추워요.
yalbeun oseul ipgo nawaseo jom chuwoyo.

얇+은 옷+을 입+고 <u>나오</u>+<u>아서</u> 좀 <u>춥(추우)</u>+<u>어요</u>.
　　　　　　　　나와서　　　　　추워요

얇다 : 薄
-은 : 语尾。使前面的词具有定语功能，表示现在的状态。
옷 : 衣服，衣裳，服装
을 : 助词。表示动作直接涉及的对象。
입다 : 穿
-고 : 连接语尾。表示前面的动作或其结果在后面动作进行的过程中一直持续。
나오다 : 出，出来
-아서 : 连接语尾。表示理由或根据。
좀 : 一点点，有一点
춥다 : 冷
-어요 : (普尊)终结语尾。表示叙述某个事实，或提问、命令、劝说。＜叙述＞

(100) 작다 [jakda]

小，　矮

长度、宽度、体积等少于其他或一般尺寸。

언니는 키가 저보다 작아요.
eonnineun kiga jeoboda jagayo.

언니+는 키+가 저+보다 작+아요.

언니 : 姐姐
는 : 助词。表示某个对象是句中的话题。
키 : 身高，身长，个子，个儿，个头儿
가 : 助词。表示行为的主体或状态描述的对象。
저 : 我
보다 : 助词。比较互相之间的差异时，作为比较的对象。
작다 : 小，　矮
-아요 : (普尊)终结语尾。表示叙述某个事实，或提问、命令、劝说。＜叙述＞

(101) 좁다 [jopda]
窄小

面或底部等的面积小。

여기는 주차장이 <u>좁아요</u>.
yeogineun juchajangi jobayo.

여기+는 주차장+이 좁+아요.

여기 : 这里，这儿
는 : 助词。表示某个对象是句中的话题。
주차장 : 停车场
이 : 助词。表示行为的主体或状态描述的对象。
좁다 : 窄小
-아요 : (普尊)终结语尾。表示叙述某个事实，或提问、命令、劝说。<叙述>

(102) 짧다 [jjalda]
短

空间或物体的两头距离近。

긴 머리를 <u>짧게</u> 잘랐어요.
gin meorireul jjalge jallasseoyo.

<u>길(기)</u>+ㄴ 머리+를 짧+게 <u>자르(잘르)</u>+았+어요.
　　긴　　　　　　　　　　잘랐어요

길다 : 长
-ㄴ : 语尾。使前面的词具有定语功能，表示现在的状态。
머리 : 头发
를 : 助词。表示动作直接涉及的对象。
짧다 : 短
-게 : 连接语尾。表示前面的内容为后面所指事情的目的、结果、方式或程度等。
자르다 : 切断，剪，砍断
-았- : 语尾。表示某一事件已结束或其结果保持到现在。
-어요 : (普尊)终结语尾。表示叙述某个事实，或提问、命令、劝说。<叙述>

(103) 크다 [keuda]

大, 高, 长, 壮阔

长度、宽度、高度、体积等都超出了普通程度。

피자가 생각보다 훨씬 커요.

pijaga saenggakboda hwolssin keoyo.

피자+가 생각+보다 훨씬 크(ㅋ)+어요.

커요

피자 : 比萨
가 : 助词。表示行为的主体或状态描述的对象。
생각 : 想法, 展望
보다 : 助词。比较互相之间的差异时, 作为比较的对象。
훨씬 : 更加, 远远地
크다 : 大, 高, 长, 壮阔
-어요 : (普尊)终结语尾。表示叙述某个事实, 或提问、命令、劝说。<叙述>

(104) 화려하다 [hwaryeohada]

华丽

美丽好看, 明亮耀眼, 看起来好。

방 안을 화려하게 꾸몄어요.

bang aneul hwaryeohage kkumyeosseoyo.

방 안+을 화려하+게 꾸미+었+어요.

꾸몄어요

방 : 房间
안 : 里, 里面
을 : 助词。表示动作直接涉及的对象。
화려하다 : 华丽
-게 : 连接语尾。表示前面的内容为后面所指事情的目的、结果、方式或程度等。
꾸미다 : 装饰, 装扮
-었- : 语尾。表示某一事件已结束或其结果保持到现在。
-어요 : (普尊)终结语尾。表示叙述某个事实, 或提问、命令、劝说。<叙述>

(105) 가볍다 [gabyeopda]

轻

重量少。

이 노트북은 아주 <u>가벼워요</u>.

i noteubugeun aju gabyeowoyo.

이 노트북+은 아주 <u>가볍(가벼우)</u>+어요.
가벼워요

이 : 这，这个
노트북 : 笔记本电脑
은 : 助词。表示某个对象是句中的话题。
아주 : 非常，极其，很
가볍다 : 轻
-어요 : (普尊)终结语尾。表示叙述某个事实，或提问、命令、劝说。<叙述>

(106) 강하다 [ganghada]

强，猛，强大

力气大。

오늘은 바람이 <u>강하게</u> 불고 있어요.

oneureun barami ganghage bulgo isseoyo.

오늘+은 바람+이 강하+게 불+[고 있]+어요.

오늘 : 今天，今日
은 : 助词。表示某个对象是句中的话题。
바람 : 风
이 : 助词。表示行为的主体或状态描述的对象。
강하다 : 强，猛，强大
-게 : 连接语尾。表示前面的内容为后面所指事情的目的、结果、方式或程度等。
불다 : 刮，吹
-고 있다 : 表示持续进行前一句所指的行为。
-어요 : (普尊)终结语尾。表示叙述某个事实，或提问、命令、劝说。<叙述>

(107) 무겁다 [mugeopda]

重, 沉

重量大。

저는 보기보다 <u>무거워요</u>.

jeoneun bogiboda mugeowoyo.

저+는 보+기+보다 <u>무겁(무거우)+어요</u>.
무거워요

저 : 我
는 : 助词。表示某个对象是句中的话题。
보다 : 看
-기 : 语尾。使前面的词语具有名词功能。
보다 : 助词。比较互相之间的差异时，作为比较的对象。
무겁다 : 重, 沉
-어요 : (普尊)终结语尾。表示叙述某个事实，或提问、命令、劝说。〈叙述〉

(108) 부드럽다 [budeureopda]

柔软

触到皮肤的感觉滑软而不粗糙或僵硬。

이 운동화는 가볍고 안쪽이 <u>부드러워요</u>.

i undonghwaneun gabyeopgo anjjogi budeureowoyo.

이 운동화+는 가볍+고 안쪽+이 <u>부드럽(부드러우)+어요</u>.
부드러워요

이 : 这, 这个
운동화 : 运动鞋
는 : 助词。表示某个对象是句中的话题。
가볍다 : 轻
-고 : 连接语尾。表示罗列两个以上的对等的事实。
안쪽 : 里边, 里头
이 : 助词。表示行为的主体或状态描述的对象。
부드럽다 : 柔软
-어요 : (普尊)终结语尾。表示叙述某个事实，或提问、命令、劝说。〈叙述〉

(109) 새롭다 [saeropda]

新

与至今为止的东西不同或不曾存在过。

요즘 새로운 취미가 생겼어요?

yojeum saeroun chwimiga saenggyeosseoyo?

요즘 <u>새롭(새로우)+ㄴ</u> 취미+가 <u>생기+었+어요</u>?
　　　　새로운　　　　　　　　생겼어요

요즘 : 最近，近来，这阵子
새롭다 : 新
-ㄴ : 语尾。使前面的词具有定语功能，表示现在的状态。
취미 : 爱好，嗜好，趣味，兴趣
가 : 助词。表示行为的主体或状态描述的对象。
생기다 : 有，出现
-었- : 语尾。表示某一事件已结束或其结果保持到现在。
-어요 : (普尊)终结语尾。表示叙述某个事实，或提问、命令、劝说。<提问>

(110) 느리다 [neurida]

慢，缓慢，迟缓

做某个行为所用的时间长。

저는 걸음이 <u>느려요</u>.

jeoneun georeumi neuryeoyo.

저+는 걸음+이 <u>느리+어요</u>.
　　　　　　　느려요

저 : 我
는 : 助词。表示某个对象是句中的话题。
걸음 : 步伐，迈步
이 : 助词。表示行为的主体或状态描述的对象。
느리다 : 慢，缓慢，迟缓
-어요 : (普尊)终结语尾。表示叙述某个事实，或提问、命令、劝说。<叙述>

(111) 빠르다 [ppareuda]

快，迅速

做某个动作所用的时间短。

제 친구는 말이 너무 빨라요.

je chinguneun mari neomu ppallayo.

저+의 친구+는 말+이 너무 빠르(빨ㄹ)+아요.
　제　　　　　　　　　　　빨라요

저 : 我
의 : 助词。表示所有、所属、所在、关系、来源、主体等关系。
친구 : 朋友，好友，友人，故旧
는 : 助词。表示某个对象是句中的话题。
말 : 声，声音
이 : 助词。表示行为的主体或状态描述的对象。
너무 : 太
빠르다 : 快，迅速
-아요 : (普尊)终结语尾。表示叙述某个事实，或提问、命令、劝说。<叙述>

(112) 뜨겁다 [tteugeopda]

烫，热

某物的温度高。

국물이 뜨거우니 조심하세요.

gungmuri tteugeouni josimhaseyo.

국물+이 뜨겁(뜨거우)+니 조심하+세요.
　　　　　뜨거우니

국물 : 汤水，汤汁
이 : 助词。表示行为的主体或状态描述的对象。
뜨겁다 : 烫，热
-니 : 连接语尾。表示前句是后句的原因、依据或前提。
조심하다 : 小心，谨慎，留心
-세요 : (普尊)终结语尾。表示说明、疑问、命令、请求。<命令>

(113) 차갑다 [chagapda]

凉, 冰凉

皮肤接触到的感觉很凉。

이 물은 차갑지 않아요.

i mureun chagapji anayo.

이 물+은 차갑+[지 않]+아요.

이 : 这, 这个
물 : 水
은 : 助词。表示某个对象是句中的话题。
차갑다 : 凉, 冰凉
-지 않다 : 表示否定前面所指的行为或状态。
-아요 : (普尊)终结语尾。表示叙述某个事实, 或提问、命令、劝说。<叙述>

(114) 차다 [chada]

冷, 寒冷, 凉, 冰凉

温度很低, 不暖和。

저는 손이 찬 편이에요.

jeoneun soni chan pyeonieyo.

저+는 손+이 차+[ㄴ 편이]+에요.
　　　　　　찬 편이에요

저 : 我
는 : 助词。表示某个对象是句中的话题。
손 : 手
이 : 助词。表示行为的主体或状态描述的对象。
차다 : 冷, 寒冷, 凉, 冰凉
-ㄴ 편이다 :表示某个事实大概接近或隶属某一边, 而不是断言。
-에요 : (普尊)终结语尾。表示叙述或询问某个事实。<叙述>

(115) 밝다 [bakda]

亮

某物体发出的光很明亮。

조명이 너무 <u>밝아서</u> 눈이 부셔요.

jomyeongi neomu balgaseo nuni busyeoyo.

조명+이 너무 밝+아서 눈+이 <u>부시+어요</u>.
　　　　　　　　　　　　　　　부셔요

조명 : 照明，灯光
이 : 助词。表示行为的主体或状态描述的对象。
너무 : 太
밝다 : 亮
－아서 : 连接语尾。表示理由或根据。
눈 : 眼睛
이 : 助词。表示行为的主体或状态描述的对象。
부시다 : 耀眼，刺眼，夺目
－어요 : (普尊)终结语尾。表示叙述某个事实，或提问、命令、劝说。〈叙述〉

(116) 어둡다 [eodupda]

暗，黑暗

没有光或光线很弱而不亮。

해가 져서 밖이 <u>어두워요</u>.

haega jeoseo bakki eoduwoyo.

해+가 <u>지+어서</u> 밖+이 <u>어둡(어두우)+어요</u>.
　　　　져서　　　　　　　어두워요

해 : 太阳
가 : 助词。表示行为的主体或状态描述的对象。
지다 : 落
－어서 : 连接语尾。表示理由或根据。
밖 : 外面，外边
이 : 助词。表示行为的主体或状态描述的对象。
어둡다 : 暗，黑暗

-어요 : (普尊)终结语尾。表示叙述某个事实, 或提问、命令、劝说。<叙述>

(117) 까맣다 [kkamata]
乌黑, 漆黑

颜色像没有一丝光亮的夜空一样黑。

머리를 까맣게 염색했어요.
meorireul kkamake yeomsaekaesseoyo.

머리+를 까맣+게 염색하+였+어요.
　　　　　　　　　염색했어요

머리 : 头发
를 : 助词。表示动作直接涉及的对象。
까맣다 : 乌黑, 漆黑
-게 : 连接语尾。表示前面的内容为后面所指事情的目的、结果、方式或程度等。
염색하다 : 染色
-였- : 语尾。表示某一事件已结束或其结果保持到现在。
-어요 : (普尊)终结语尾。表示叙述某个事实, 或提问、命令、劝说。<叙述>

(118) 검다 [geomda]
黑

颜色和没有光线的夜空一样又暗又浓。

햇볕에 살이 검게 탔어요.
haetbyeote sari geomge tasseoyo.

햇볕+에 살+이 검+게 타+았+어요.
　　　　　　　　탔어요

햇볕 : 阳光, 日光
에 : 助词。表示某事的原因。
살 : 皮肤
이 : 助词。表示行为的主体或状态描述的对象。
검다 : 黑
-게 : 连接语尾。表示前面的内容为后面所指事情的目的、结果、方式或程度等。

타다 : 晒黑

-았- : 语尾。表示某一事件已结束或其结果保持到现在。

-어요 : (普尊)终结语尾。表示叙述某个事实，或提问、命令、劝说。<叙述>

(119) 노랗다 [norata]

黄色的

和香蕉或柠檬相同的颜色。

저 사람은 머리 색깔이 노래요.

jeo sarameun meori saekkkari noraeyo.

저 사람+은 머리 색깔+이 노랗+아요.

노래요

저 : 那

사람 : 人

은 : 助词。表示某个对象是句中的话题。

머리 : 头发

색깔 : 颜色，色彩

이 : 助词。表示行为的主体或状态描述的对象。

노랗다 : 黄色的

-아요 : (普尊)终结语尾。表示叙述某个事实，或提问、命令、劝说。<叙述>

(120) 붉다 [bukda]

红，赤

颜色像鲜血或熟了的辣椒一样。

붉은 태양이 떠오르고 있어요.

bulgeun taeyangi tteooreugo isseoyo.

붉+은 태양+이 떠오르+[고 있]+어요.

붉다 : 红，赤

-은 : 语尾。使前面的词具有定语功能，表示现在的状态。

태양 : 太阳，希望

이 : 助词。表示行为的主体或状态描述的对象。

떠오르다 : 升起
-고 있다 : 表示持续进行前一句所指的行为。
-어요 : (普尊)终结语尾。表示叙述某个事实，或提问、命令、劝说。<叙述>

(121) 빨갛다 [ppalgata]

红

如同鲜血或熟透的辣椒一样鲜明而浓艳地发红。

코가 왜 이렇게 빨개요?

koga wae ireoke ppalgaeyo?

코+가 왜 이렇+게 빨갛+아요?
　　　　　　　　　　 빨개요

코 : 鼻，鼻子
가 : 助词。表示行为的主体或状态描述的对象。
왜 : 为什么
이렇다 : 这样
-게 : 连接语尾。表示前面的内容为后面所指事情的目的、结果、方式或程度等。
빨갛다 : 红
-아요 : (普尊)终结语尾。表示叙述某个事实，或提问、命令、劝说。<提问>

(122) 파랗다 [parata]

蓝

像晴朗的秋天的天空或深邃的大海一样明亮鲜明的颜色。

왜 이마에 멍이 파랗게 들었어요?

wae imae meongi parake deureosseoyo?

왜 이마+에 멍+이 파랗+게 들+었+어요?

왜 : 为什么
이마 : 额，前额，额头
에 : 助词。表示某个处所或地点。
멍 : 青块，淤青
이 : 助词。表示行为的主体或状态描述的对象。

파랗다 : 蓝
-게 : 连接语尾。表示前面的内容为后面所指事情的目的、结果、方式或程度等。
들다 : 患，生，得
-었- : 语尾。表示某一事件已结束或其结果保持到现在。
-어요 : (普尊)终结语尾。表示叙述某个事实，或提问、命令、劝说。<提问>

(123) 푸르다 [pureuda]
蓝，绿

像晴朗的秋天的天空或深邃的大海，或新鲜的草一样明亮鲜明的颜色。

바다가 넓고 <u>푸르러요</u>.
badaga neolgo pureureoyo.

바다+가 넓+고 <u>푸르+어요(러요)</u>.
　　　　　　　　　푸르러요

바다 : 海，大海，海洋
가 : 助词。表示行为的主体或状态描述的对象。
넓다 : 宽敞，宽阔，宽广
-고 : 连接语尾。表示罗列两个以上的对等的事实。
푸르다 : 蓝，绿
-어요 : (普尊)终结语尾。表示叙述某个事实，或提问、命令、劝说。<叙述>

(124) 하얗다 [hayata]
白

和雪或牛奶一样白得鲜明。

눈이 내려서 세상이 <u>하얗게</u> 변했어요.
nuni naeryeoseo sesangi hayake byeonhaesseoyo.

눈+이 <u>내리+어서</u> 세상+이 하얗+게 <u>변하+였+어요</u>.
　　　　내려서　　　　　　　　　　변했어요

눈 : 雪
이 : 助词。表示行为的主体或状态描述的对象。
내리다 : 下，落

-어서：连接语尾。表示理由或根据。

세상：天下，世界

이：助词。表示行为的主体或状态描述的对象。

하얗다：白

-게：连接语尾。表示前面的内容为后面所指事情的目的、结果、方式或程度等。

변하다：变，改变，变成

-였-：语尾。表示某一事件已结束或其结果保持到现在。

-어요：(普尊)终结语尾。表示叙述某个事实，或提问、命令、劝说。<叙述>

(125) 희다 [hida]

白

像雪或牛奶的颜色一样亮而鲜明。

동생은 얼굴이 희고 머리카락이 까매요.

dongsaengeun eolguri huigo meorikaragi kkamaeyo.

동생+은 얼굴+이 희+고 머리카락+이 까맣+아요.
　　　　　　　　　　　　　　　　 까매요

동생：弟弟；妹妹

은：助词。表示某个对象是句中的话题。

얼굴：脸，面孔，脸部

이：助词。表示行为的主体或状态描述的对象。

희다：白

-고：连接语尾。表示罗列两个以上的对等的事实。

머리카락：发丝

이：助词。表示行为的主体或状态描述的对象。

까맣다：乌黑，漆黑

-아요：(普尊)终结语尾。表示叙述某个事实，或提问、命令、劝说。<叙述>

(126) 많다 [manta]

多，丰富，强

数、量、程度等超过一定标准。

저는 호기심이 많아요.

jeoneun hogisimi manayo.

저+는 호기심+이 많+아요.

저 : 我
는 : 助词。表示某个对象是句中的话题。
호기심 : 好奇心
이 : 助词。表示行为的主体或状态描述的对象。
많다 : 多，丰富，强
-아요 : (普尊)终结语尾。表示叙述某个事实，或提问、命令、劝说。<叙述>

(127) 부족하다 [bujokada]
不足，缺乏，不够，欠缺

未能达到需要的数量或基准，不充裕。

사업을 하기에 돈이 많이 <u>부족해요</u>.
saeobeul hagie doni mani bujokaeyo.

사업+을 하+기+에 돈+이 많이 <u>부족하+여요</u>.
부족해요

사업 : 事业，生意
을 : 助词。表示动作直接涉及的对象。
하다 : 做，干
-기 : 语尾。使前面的词语具有名词功能。
에 : 助词。表示某事的条件、环境、状态等。
돈 : 钱，金钱，钱币
이 : 助词。表示行为的主体或状态描述的对象。
많이 : 多
부족하다 : 不足，缺乏，不够，欠缺
-여요 : (普尊)终结语尾。表示叙述某个事实，或提问、命令、劝说。<叙述>

(128) 적다 [jeokda]
少，小，欠缺

数、量或程度等达不到一定的标准。

배고픈데 음식 양이 너무 <u>적어요</u>.
baegopeunde eumsik yangi neomu jeogeoyo.

<u>배고프+ㄴ데</u> 음식 양+이 너무 적+어요.
　배고픈데

배고프다 : 肚子饿
-ㄴ데 : 连接语尾。表示为了说后面的话而先说与其相关的状况。
음식 : 食物，食品
양 : 量
이 : 助词。表示行为的主体或状态描述的对象。
너무 : 太
적다 : 少，小，欠缺
-어요 : (普尊)终结语尾。表示叙述某个事实，或提问、命令、劝说。<叙述>

(129) 낫다 [natda]
更好，胜过
相比之下，比别的好。

몸이 아플 때에는 쉬는 것이 제일 <u>나아요</u>.
momi apeul ttaeeneun swineun geosi jeil naayo.

몸+이 <u>아프+[ㄹ 때]+에+는</u> 쉬+[는 것]+이 제일 <u>낫(나)+아요</u>.
　　　　아플 때에는　　　　　　　　　　나아요

몸 : 身体，身子
이 : 助词。表示行为的主体或状态描述的对象。
아프다 : 疼，痛，不舒服
-ㄹ 때 : 表示某种行为或状况发生的期间、时期或发生此类事情的情况。
에 : 助词。表示时间或时候。
는 : 助词。表示某个对象是句中的话题。
쉬다 : 休息，歇
-는 것 : 用于使非名词在句中用作名词或使其可出现在"이다"前面。
이 : 助词。表示行为的主体或状态描述的对象。
제일 : 最
낫다 : 更好，胜过
-아요 : (普尊)终结语尾。表示叙述某个事实，或提问、命令、劝说。<叙述>

(130) 분명하다 [bunmyeonghada]

鲜明，明晰，清晰，分明

形象或声音清楚而不模糊。

크고 <u>분명한</u> 목소리로 말해 주세요.

keugo bunmyeonghan moksoriro malhae juseyo.

크+고 <u>분명하+ㄴ</u> 목소리+로 <u>말하+[여 주]+세요</u>.
　　　　　분명한　　　　　　　　말해 주세요

크다 : 大，洪亮，嘹亮
-고 : 连接语尾。表示罗列两个以上的对等的事实。
분명하다 : 鲜明，明晰，清晰，分明
-ㄴ : 语尾。使前面的词具有定语功能，表示现在的状态。
목소리 : 嗓音，声音
로 : 助词。表示某事的方法或方式。
말하다 : 说，讲
-여 주다 : 表示为别人做前面表达的行动。
-세요 : (普尊)终结语尾。表示说明、疑问、命令、请求。＜要求＞

(131) 심하다 [simhada]

严重

程度过头。

감기에 <u>심하게</u> 걸렸어요.

gamgie simhage geollyeosseoyo.

감기+에 심하+게 <u>걸리+었+어요</u>.
　　　　　　　　걸렸어요

감기 : 感冒
에 : 助词。表示某行为或感情等的对象。
심하다 : 严重
-게 : 连接语尾。表示前面的内容为后面所指事情的目的、结果、方式或程度等。
걸리다 : 患
-었- : 语尾。表示某一事件已结束或其结果保持到现在。
-어요 : (普尊)终结语尾。表示叙述某个事实，或提问、命令、劝说。＜叙述＞

(132) 알맞다 [almatda]

适当，适合

正符合一定基准、条件或程度，不超过也不欠缺。

물 온도가 목욕하기에 딱 <u>알맞아요</u>.

mul ondoga mogyokagie ttak almajayo.

물 온도+가 목욕하+기+에 딱 알맞+아요.

물 ： 水
온도 ： 温度
가 ： 助词。表示行为的主体或状态描述的对象。
목욕하다 ： 洗澡
-기 ： 语尾。使前面的词语具有名词功能。
에 ： 助词。表示某事的条件、环境、状态等。
딱 ： 正好，正
알맞다 ： 适当，适合
-아요 ： (普尊)终结语尾。表示叙述某个事实，或提问、命令、劝说。<叙述>

(133) 적당하다 [jeokdanghada]

合适

符合标准、条件、程度。

하루 수면 시간은 일곱 시간 정도가 <u>적당해요</u>.

haru sumyeon siganeun ilgop sigan jeongdoga jeokdanghaeyo.

하루 수면 시간+은 일곱 시간 정도+가 <u>적당하+여요</u>.
적당해요

하루 ： 一天
수면 ： 睡眠
시간 ： 时间
은 ： 助词。表示某个对象是句中的话题。
일곱 ： 七
시간 ： 小时
정도 ： 左右
가 ： 助词。表示行为的主体或状态描述的对象。

적당하다 : 合适

-여요 : (普尊)终结语尾。表示叙述某个事实，或提问、命令、劝说。〈叙述〉

(134) 정확하다 [jeonghwakada]

正确

确实无误。

정확한 한국어 발음을 하고 싶어요.

jeonghwakan hangugeo bareumeul hago sipeoyo.

정확하+ㄴ 한국어 발음+을 하+[고 싶]+어요.
　정확한

정확하다 : 正确

-ㄴ : 语尾。使前面的词具有定语功能，表示现在的状态。

한국어 : 韩国语，韩语

발음 : 发音

을 : 助词。表示动作直接涉及的对象。

하다 : 做，干

-고 싶다 : 表示有做前面行动的意愿。

-어요 : (普尊)终结语尾。表示叙述某个事实，或提问、命令、劝说。〈叙述〉

(135) 중요하다 [jungyohada]

重要

贵重且必不可缺。

살을 뺄 때는 운동이 중요해요.

sareul ppael ttaeneun undongi jungyohaeyo.

살+을 빼+[ㄹ 때]+는 운동+이 중요하+여요.
　　　뺄 때는　　　　　　중요해요

살 : 肉

을 : 助词。表示动作直接涉及的对象。

빼다 : 减肥，减重

-ㄹ 때 : 表示某种行为或状况发生的期间、时期或发生此类事情的情况。

는 : 助词。表示某个对象是句中的话题。
운동 : 运动
이 : 助词。表示行为的主体或状态描述的对象。
중요하다 : 重要
-여요 : (普尊)终结语尾。表示叙述某个事实，或提问、命令、劝说。<叙述>

(136) 진하다 [jinhada]
浓，稠
液体不稀，浓度高。

커피가 너무 <u>진해요</u>.
keopiga neomu jinhaeyo.

커피+가 너무 <u>진하+여요</u>.
　　　　　　　진해요

커피 : 咖啡
가 : 助词。表示行为的主体或状态描述的对象。
너무 : 太
진하다 : 浓，稠
-여요 : (普尊)终结语尾。表示叙述某个事实，或提问、命令、劝说。<叙述>

(137) 충분하다 [chungbunhada]
充分，充足，足够
不欠缺，十分充裕。

저는 이 빵 하나면 <u>충분해요</u>.
jeoneun i ppang hanamyeon chungbunhaeyo.

저+는 이 빵 <u>하나+이+면</u> <u>충분하+여요</u>.
　　　　　　하나면　　　충분해요

저 : 我
는 : 助词。表示某个对象是句中的话题。
이 : 这，这个
빵 : 面包

하나 : 一

이다 : 谓格助词。表示指定主语所指示的属性或类型。

-면 : 连接语尾。表示前句为后句的根据或条件。

충분하다 : 充分，充足，足够

-여요 : (普尊)终结语尾。表示叙述某个事实，或提问、命令、劝说。＜叙述＞

필수 (必须)

문법 (语法)

1. 모음 : 사람이 목청을 울려 내는 소리로, 공기의 흐름이 방해를 받지 않고 나는 소리.

元音, 母音
提高嗓门且气流不受阻碍发出的声音。

(1) ㅏ : 한글 자모의 열다섯째 글자. 이름은 '아'이고 중성으로 쓴다.

韩文的第十五个字母，名为"아"，用作中声。

(2) ㅑ : 한글 자모의 열여섯째 글자. 이름은 '야'이고 중성으로 쓴다.

韩文的第十六个字母，名为"야"，用作中声。

(3) ㅓ : 한글 자모의 열일곱째 글자. 이름은 '어'이고 중성으로 쓴다.

韩文的第十七个字母，名为"어"，用作中声。

(4) ㅕ : 한글 자모의 열여덟째 글자. 이름은 '여'이고 중성으로 쓴다.

韩文的第十八个字母，名为"여"，用作中声。

(5) ㅗ : 한글 자모의 열아홉째 글자. 이름은 '오'이고 중성으로 쓴다.

韩文的第十九个字母，名为"오"，用作中声。

(6) ㅛ : 한글 자모의 스무째 글자. 이름은 '요'이고 중성으로 쓴다.

韩文的第二十个字母，名为"요"，用作中声。

(7) ㅜ : 한글 자모의 스물한째 글자. 이름은 '우'이고 중성으로 쓴다.

韩文的第二十一个字母，名为"우"，用作中声。

(8) ㅠ : 한글 자모의 스물두째 글자. 이름은 '유'이고 중성으로 쓴다.

韩文的第二十二个字母，名为"유"，用作中声。

(9) ㅡ : 한글 자모의 스물셋째 글자. 이름은 '으'이고 중성으로 쓴다.

韩文的第二十三个字母，名为"으"，用作中声。

(10) ㅣ : 한글 자모의 스물넷째 글자. 이름은 '이'이고 중성으로 쓴다.

韩文的第二十四个字母，名为"이"，用作中声。

(11) ㅚ : 한글 자모 'ㅗ'와 'ㅣ'를 모아 쓴 글자. 이름은 '외'이고 중성으로 쓴다.

　　将韩文字母"ㅗ"和"ㅣ"合写而成的字，名为"외"，用作中声。

(12) ㅟ : 한글 자모 'ㅜ'와 'ㅣ'를 모아 쓴 글자. 이름은 '위'이고 중성으로 쓴다.

　　将韩文字母"ㅜ"和"ㅣ"合写而成的字，名为"위"，用作中声。

(13) ㅐ : 한글 자모 'ㅏ'와 'ㅣ'를 모아 쓴 글자. 이름은 '애'이고 중성으로 쓴다.

　　韩文字母"ㅏ"和"ㅣ"合写而成的字，名为"애"，用作中声。

(14) ㅔ : 한글 자모 'ㅓ'와 'ㅣ'를 모아 쓴 글자. 이름은 '에'이고 중성으로 쓴다.

　　将韩文字母"ㅓ"和"ㅣ"合写而成的字，名为"에"，用作中声。

(15) ㅒ : 한글 자모 'ㅑ'와 'ㅣ'를 모아 쓴 글자. 이름은 '얘'이고 중성으로 쓴다.

　　将韩文字母"ㅑ"和"ㅣ"合写而成的字，名为"얘"，用作中声。

(16) ㅖ : 한글 자모 'ㅕ'와 'ㅣ'를 모아 쓴 글자. 이름은 '예'이고 중성으로 쓴다.

　　将韩文字母"ㅕ"和"ㅣ"合写而成的字，名为"예"，用作中声。

(17) ㅘ : 한글 자모 'ㅗ'와 'ㅏ'를 모아 쓴 글자. 이름은 '와'이고 중성으로 쓴다.

　　将韩文字母"ㅗ"和"ㅏ"合写而成的字，名为"와"，用作中声。

(18) ㅝ : 한글 자모 'ㅜ'와 'ㅓ'를 모아 쓴 글자. 이름은 '워'이고 중성으로 쓴다.

　　将韩文字母"ㅜ"和"ㅓ"合写而成的字，名为"워"，用作中声。

(19) ㅙ : 한글 자모 'ㅗ'와 'ㅐ'를 모아 쓴 글자. 이름은 '왜'이고 중성으로 쓴다.

　　将韩文字母"ㅗ"和"ㅐ"合写而成的字，名为"왜"，用作中声。

(20) ㅞ : 한글 자모 'ㅜ'와 'ㅔ'를 모아 쓴 글자. 이름은 '웨'이고 중성으로 쓴다.

　　将韩文字母"ㅜ"和"ㅔ"合写而成的字，名为"웨"，用作中声。

(21) ㅢ : 한글 자모 'ㅡ'와 'ㅣ'를 모아 쓴 글자. 이름은 '의'이고 중성으로 쓴다.

　　将韩文字母"ㅡ"和"ㅣ"合写而成的字，名为"의"，用作中声。

ㅏ　ㅓ　ㅗ　ㅜ　ㅡ　ㅣ　ㅐ　ㅔ　ㅚ　ㅟ

ㅑ　ㅕ　ㅛ　ㅠ　ㅒ　ㅖ　ㅘ　ㅝ　ㅙ　ㅞ　ㅢ

ㅣ + ㅏ = ㅑ　　ㅣ + ㅓ = ㅕ　　ㅣ + ㅗ = ㅛ　　ㅣ + ㅜ = ㅠ

ㅗ + ㅏ = ㅘ　　ㅜ + ㅓ = ㅝ　　ㅗ + ㅐ = ㅙ　　ㅜ + ㅔ = ㅞ

ㅡ + ㅣ = ㅢ

ㅏ	ㅑ	ㅓ	ㅕ	ㅗ	ㅛ	ㅜ	ㅠ	ㅡ	ㅣ
a	ya	eo	yeo	o	yo	u	yu	eu	i

ㅐ	ㅔ	ㅒ	ㅖ	ㅙ	ㅞ	ㅚ	ㅟ	ㅘ	ㅝ	ㅢ
ae	e	yae	ye	wae	we	oe	wi	wa	wo	ui

2. 자음 : 목, 입, 혀 등의 발음 기관에 의해 장애를 받으며 나는 소리.

子音, 辅音
喉咙、嘴、舌等发音器官受阻发出的声音。

(1) ㄱ : 한글 자모의 첫째 글자. 이름은 기역으로 소리를 낼 때 혀뿌리가 목구멍을 막는 모양을 본떠 만든 글자이다.

韩文的第一个字母, 名为"기역", 是模仿发音时舌根堵住喉咙口的形状而创制的文字。

(2) ㄴ : 한글 자모의 둘째 글자. 이름은 '니은'으로 소리를 낼 때 혀끝이 윗잇몸에 붙는 모양을 본떠 만든 글자이다.

韩文的第二个字母, 名为"니은", 是模仿发音时舌尖附着上牙龈的形状而创制的文字。

(3) ㄷ : 한글 자모의 셋째 글자. 이름은 '디귿'으로, 소리를 낼 때 혀의 모습은 'ㄴ'과 같지만 더 세게 발음되므로 한 획을 더해 만든 글자이다.

韩文的第三个字母, 名为"디귿", 发音时舌头的形状和"ㄴ"相同, 但更加用力,
所以是在"ㄴ"的基础上增加了一划而创制的文字。

(4) ㄹ : 한글 자모의 넷째 글자. 이름은 '리을'로 혀끝을 윗잇몸에 가볍게 대었다가 떼면서 내는 소리를 나타낸다.

韩文的第四个字母, 名为"리을", 表示舌尖轻触上牙龈后再分开时发出的声音。

(5) ㅁ : 한글 자모의 다섯째 글자. 이름은 '미음'으로, 소리를 낼 때 다물어지는 두 입술 모양을 본떠서 만든 글자이다.

韩文的第五个字母, 名为"미음", 是模仿发音时双唇合上的形状而创制的文字。

(6) ㅂ : 한글 자모의 여섯째 글자. 이름은 '비읍'으로, 소리를 낼 때의 입술 모양은 'ㅁ'과 같지만 더 세게 발음되므로 'ㅁ'에 획을 더해서 만든 글자이다.

韩文的第六个字母, 名为"비읍", 发音时嘴唇的形状和"ㅁ"相同, 但更加用力,
所以是在"ㅁ"的基础上增加了一划而创制的文字。

(7) ㅅ : 한글 자모의 일곱째 글자. 이름은 '시옷'으로 이의 모양을 본떠서 만든 글자이다.

韩文的第七个字母, 名为"시옷", 是模仿牙齿的形状而创制的文字。

(8) ㅇ : 한글 자모의 여덟째 글자. 이름은 '이응'으로 목구멍의 모양을 본떠서 만든 글자이다. 초성으로 쓰일 때 소리가 없다.

韩文的第八个字母, 名为"이응", 是模仿喉咙口的形状而创制的文字, 用作初声时不发音。

(9) ㅈ : 한글 자모의 아홉째 글자. 이름은 '지읒'으로, 'ㅅ'보다 소리가 더 세게 나므로 'ㅅ'에 한 획을 더해 만든 글자이다.

韩文的第九个字母，名为"지읒"，因其发音比"ㅅ"更有力，
所以是在"ㅅ"的基础上增加了一划而创制的文字。

(10) ㅊ : 한글 자모의 열째 글자. 이름은 '치읓'으로 '지읒'보다 소리가 거세게 나므로 '지읒'에 한 획을 더해서 만든 글자이다.

韩文的第十个字母，名为"치읓"，因其发音比"ㅈ"更强烈，
所以是在"ㅈ"的基础上增加了一划而创制的文字。

(11) ㅋ : 한글 자모의 열한째 글자. 이름은 '키읔'으로 'ㄱ'보다 소리가 거세게 나므로 'ㄱ'에 한 획을 더하여 만든 글자이다.

韩文的第十一个字母，名为"키읔"，因其发音比"ㄱ"更强烈，
所以是在"ㄱ"的基础上增加了一划而创制的文字。

(12) ㅌ : 한글 자모의 열두째 글자. 이름은 '티읕'으로, 'ㄷ'보다 소리가 거세게 나므로 'ㄷ'에 한 획을 더하여 만든 글자이다.

韩文的第十二个字母，名为"티읕"，因其发音比"ㄷ"更强烈，
所以是在"ㄷ"的基础上增加了一划而创制的文字。

(13) ㅍ : 한글 자모의 열셋째 글자. 이름은 '피읖'으로, 'ㅁ, ㅂ'보다 소리가 거세게 나므로 'ㅁ'에 획을 더하여 만든 글자이다.

韩文的第十三个字母，名为"피읖"，因其发音比"ㅁ,ㅂ"更强烈，
所以是在"ㅁ"的基础上增加了笔画而创制的文字。

(14) ㅎ : 한글 자모의 열넷째 글자. 이름은 '히읗'으로, 이 글자의 소리는 목청에서 나므로 목구멍을 본떠 만든 'ㅇ'의 경우와 같지만 'ㅇ'보다 더 세게 나므로 'ㅇ'에 획을 더하여 만든 글자이다.

韩文的第十四个字母，名为"히읗"，和"ㅇ"一样也模仿了发音部位喉咙口的形状，
但因其发音比"ㅇ"更有力，所以是在"ㅇ"的基础上增加了笔画而创制的文字。

(15) ㄲ : 한글 자모 'ㄱ'을 겹쳐 쓴 글자. 이름은 쌍기역으로, 'ㄱ'의 된소리이다.

将韩文字母"ㄱ"叠写而成的文字，名为"双기역"，是"ㄱ"的挤喉音。

(16) ㄸ : 한글 자모 'ㄷ'을 겹쳐 쓴 글자. 이름은 쌍디귿으로, 'ㄷ'의 된소리이다.

将韩文字母"ㄷ"叠写而成的字，名为"双디귿"，是"ㄷ"的挤喉音。

(17) ㅃ : 한글 자모 'ㅂ'을 겹쳐 쓴 글자. 이름은 쌍비읍으로, 'ㅂ'의 된소리이다.

　将韩文字母"ㅂ"叠写而成的字，名为"双比읍"，是"ㅂ"的挤喉音。

(18) ㅆ : 한글 자모 'ㅅ'을 겹쳐 쓴 글자. 이름은 쌍시옷으로, 'ㅅ'의 된소리이다.

　将韩文字母"ㅅ"叠写而成的字，名为"双시옷"，是"ㅅ"的挤喉音。

(19) ㅉ : 한글 자모 'ㅈ'을 겹쳐 쓴 글자. 이름은 쌍지읒으로, 'ㅈ'의 된소리이다.

　韩文字母"ㅈ"叠写而成的字，名为"双지읒"，是"ㅈ"的挤喉音。

ㄱ	ㄴ	ㄷ	ㄹ	ㅁ	ㅂ	ㅅ	ㅇ	ㅈ	ㅊ	ㅋ	ㅌ	ㅍ	ㅎ
g,k	n	d,t	r,l	m	b,p	s	ng	j	ch	k	t	p	h

ㄲ	ㄸ	ㅃ	ㅆ	ㅉ
kk	tt	pp	ss	jj

ㄱ	ㄴ	ㄷ	ㄹ	ㅁ	ㅂ	ㅅ	ㅇ	ㅈ		ㅎ
ㅋ		ㅌ			ㅍ					ㅊ
ㄲ		ㄸ			ㅃ	ㅆ				ㅉ

3. 음절 : 모음, 모음과 자음, 자음과 모음, 자음과 모음과 자음이 어울려 한 덩어리로 내는 말소리의 단위.

音节
母音、母音和子音、子音和母音、子音和母音和子音组成的一个声音单位。

1) 모음(元音)

예 (例) : 아, 어, 오, 우……

2) 자음(子音) + 모음(元音)

예 (例) : 가, 도, 루, 슈……

3) 모음(元音) + 자음(子音)

예 (例) : 악, 얌, 임, 윤……

4) 자음(子音) + 모음(元音) + 자음(子音)

예 (例) : 각, 남, 당, 균……

	ㄱ	ㄴ	ㄷ	ㄹ	ㅁ	ㅂ	ㅅ	ㅇ	ㅈ	ㅊ	ㅋ	ㅌ	ㅍ	ㅎ
ㅏ	가	나	다	라	마	바	사	아	자	차	카	타	파	하
ㅓ	거	너	더	러	머	버	서	어	저	처	커	터	퍼	허
ㅗ	고	노	도	로	모	보	소	오	조	초	코	토	포	호
ㅜ	구	누	두	루	무	부	수	우	주	추	쿠	투	푸	후
ㅡ	그	느	드	르	므	브	스	으	즈	츠	크	트	프	흐
ㅣ	기	니	디	리	미	비	시	이	지	치	키	티	피	히
ㅐ	개	내	대	래	매	배	새	애	재	채	캐	태	패	해
ㅔ	게	네	데	레	메	베	세	에	제	체	케	테	페	헤
ㅚ	괴	뇌	되	뢰	뫼	뵈	쇠	외	죄	최	쾨	퇴	푀	회
ㅟ	귀	뉘	뒤	뤼	뮈	뷔	쉬	위	쥐	취	퀴	튀	퓌	휘
ㅑ	갸	냐	댜	랴	먀	뱌	샤	야	쟈	챠	캬	탸	퍄	햐
ㅕ	겨	녀	뎌	려	며	벼	셔	여	져	쳐	켜	텨	펴	혀
ㅛ	교	뇨	됴	료	묘	뵤	쇼	요	죠	쵸	쿄	툐	표	효
ㅠ	규	뉴	듀	류	뮤	뷰	슈	유	쥬	츄	큐	튜	퓨	휴
ㅒ	걔	냬	댸	럐	먜	뱨	섀	얘	쟤	챼	컈	턔	퍠	햬
ㅖ	계	녜	뎨	례	몌	볘	셰	예	졔	쳬	켸	톄	폐	혜
ㅘ	과	놔	돠	롸	뫄	봐	솨	와	좌	촤	콰	톼	퐈	화
ㅝ	궈	눠	둬	뤄	뭐	붜	숴	워	줘	춰	쿼	퉈	풔	훠
ㅙ	괘	놰	돼	뢔	뫠	봬	쇄	왜	좨	쵀	쾌	퇘	퐤	홰
ㅞ	궤	눼	뒈	뤠	뭬	붸	쉐	웨	줴	췌	퀘	퉤	풰	훼
ㅢ	긔	늬	듸	릐	믜	븨	싀	의	즤	츼	킈	틔	픠	희

4. 품사 : 단어를 기능, 형태, 의미에 따라 나눈 갈래.

词类，词性
根据单词的功能、形态、意思而划分的分支。

· 체언 : 문장에서 명사, 대명사, 수사와 같이 문장의 주어나 목적어 등의 기능을 하는 말.

　体词
　在句子中，如名词、代词、数词等起主语或宾语等功能的词。

· 용언 : 문법에서, 동사나 형용사와 같이 문장에서 서술어의 기능을 하는 말.

　谓词
　在语法中，如动词或形容词等，充当句子谓语的词语。

　1) 본용언 : 문장의 주체를 주되게 서술하면서 보조 용언의 도움을 받는 용언.

　　主谓词
　　主要叙述文章的主体，受辅助谓语帮助的谓词。

　2) 보조 용언 : 본용언과 연결되어 그 뜻을 보충해 주는 용언.

　　补助谓词
　　连接在主要谓词的后面，补充其词义的谓词。

· 수식언 : 문법에서, 관형어나 부사어와 같이 뒤에 오는 체언이나 용언을 꾸미거나 한정하는 말.

　修饰语
　在语法中，修饰或限定定语或状语后的体词或谓词的词语。

---

1. **명사** : 사물의 이름을 나타내는 품사.

　名词
　表示事物名称的词。

2. **대명사** : 다른 명사를 대신하여 사람, 장소, 사물 등을 가리키는 낱말.

　代词
　代替其他名词表示人、地点、事物等的单词。

3. **수사** : 수량이나 순서를 나타내는 말.

数词
表示数量或顺序的词。

4. **동사** : 사람이나 사물의 움직임을 나타내는 품사.

动词
表示人或事物的动作的词类。

5. **형용사** : 사람이나 사물의 성질이나 상태를 나타내는 품사.

形容词
表示人或事物的性质或状态的词类。

• **활용** : 문법적 관계를 나타내기 위해 용언의 꼴을 조금 바꿈.

活用，词尾变化
为表示语法关系而将谓词的词尾略微改变。

1) **규칙 활용** : 문법에서, 동사나 형용사가 활용을 할 때 어간의 형태가 변하지 않고 일반적인 어미가 붙어 변화하는 것.

有规则活用
在语法中，动词或形容词活用时，其词干形态不发生变化，只附加一般语尾。

2) **불규칙 활용** : 문법에서, 동사나 형용사가 활용을 할 때 어간의 형태가 변하거나 예외적인 어미가 붙어 변화하는 것.

不规则活用
在语法中，动词或形容词活用时，其词干形态发生变化或后加不常规的词尾来变化。

활용(活用) 형태(形态)	어간(词干) + 어미(语尾)	불규칙(不规则) 부분(部分)	불규칙 용언(不规则谓词)
물어	묻- + -어	묻- → 물-	싣다, 붇다, 일컫다…
지어	짓- + -어	짓- → 지-	젓다, 붓다, 잇다…
누워	눕- + -어	눕- → 누우	줍다, 굽다, 깁다…
흘러	흐르- + -어	흐르- → 흘ㄹ	부르다, 타오르다, 누르다…
하얘	하얗- + -아	-얗어- → 얘	빨갛다, 까맣다, 뽀얗다…

1) **어간** : 동사나 형용사가 활용할 때에 변하지 않는 부분.

词干
使用动词或形容词时不变的部分。

2) **어미** : 용언이나 '-이다'에서 활용할 때 형태가 달라지는 부분.

语尾，词尾
在活用谓词或"-이다"时形态变化的部分。

① **어말 어미** : 동사, 형용사, 서술격 조사가 활용될 때 맨 뒤에 오는 어미.

语末语尾
动词、形容词、谓格助词活用时，位于最后面的语尾。

㉠ **종결 어미** : 한 문장을 끝맺는 기능을 하는 어말 어미.

终结语尾
承担句子结尾功能的语末语尾。

㉡ **전성 어미** : 동사나 형용사의 어간에 붙어 동사나 형용사가 명사, 관형사, 부사와 같은 다른
품사의 기능을 가지도록 하는 어미.

转成语尾
依附于动词或形容词的词干后面，使动词或形容词具有名词、冠形词、
副词等其他词性功能的语尾。

㉢ **연결 어미** : 어간에 붙어 다음 말에 연결하는 기능을 하는 어미.

连接语尾
附加在词干后面，起到连接后面词语作用的语尾。

② **선어말 어미** : 어말 어미 앞에 놓여 높임이나 시제 등을 나타내는 어미.

先语末语尾
位于语末语尾前，表示尊敬或时态等的语尾。

어미 (语尾)				예 (例)	
어말 어미 (语末语尾)	종결 어미 (终结语尾)	서술형 (叙述形)		-다, -네, -ㅂ니다/습니다…	
		의문형 (疑问形)		-는가, -니, -ㄹ까…	
		감탄형 (感叹形)		-구나, -네…	
		명령형 (命令形)		-(으)세요, -어라/-아라/-여라	
		청유형 (共动形)		-자, -ㅂ시다/-읍시다, -세…	
	연결 어미 (连接语尾)	-고, -며/으며, -지만, -거나, -어서, -려고/-으려고, -면/-으면…			
	전성 어미 (转成语尾)	명사형 어미 (名词形语尾)		-ㅁ/-음, -기	
		관형사형 어미 (冠词形语尾)	과거 (过去时)		-ㄴ/-은
			현재 (现在)		-는
			미래 (将来)		-ㄹ/-을
			중단/반복 (中断/反复)		-던
		부사형 어미 (副词形语尾)		-게, -도록, -듯이, -이	
선어말 어미 (先语末语尾)	주체(主体) 높임(尊称)			-시-/-으시-	
	시제 (时态)		과거 (过去时)		-았-/-었-/-였-
			현재 (现在)		-ㄴ-/-는-
			미래 (将来)		-ㄹ-/-을-
			회상 (回想)		-더-

6. 관형사 : 체언 앞에 쓰여 그 체언의 내용을 꾸며 주는 기능을 하는 말.

冠形词
位于体言前起修饰作用的词。

7. 부사 : 주로 동사나 형용사 앞에 쓰여 그 뜻을 분명하게 하는 말.

副词
主要用于动词或形容词之前、使其意思更明确的词语。

8. 조사 : 명사, 대명사, 수사, 부사, 어미 등에 붙어 그 말과 다른 말과의 문법적 관계를 표시하거나 그
　　　　말의 뜻을 도와주는 품사.

助词
附在名词、代词、数词、副词、词尾等后面,
表示其词汇与其它词汇之间的语法关系或辅助其词汇之意的词类。

1) 격 조사 : 명사나 명사구 뒤에 붙어 그 말이 서술어에 대하여 가지는 문법적 관계를 나타내는 조사.

格助词
附加在名词或名词短语后面、表示其与谓语间语法关系的助词。

① 주격 조사 : 문장에서 서술어에 대한 주어의 자격을 표시하는 조사.

主格助词
句子中作主语, 表示谓词的主体的助词。

② 목적격 조사 : 문장에서 서술어에 대한 목적어의 자격을 표시하는 조사.

目的格助词, 宾格助词
句子中作宾语, 表示动词支配的对象的助词。

③ 서술격 조사 : 문장 안에서 체언이나 체언 구실을 하는 말 뒤에 붙어 이들을 서술어로 만드는
　　　　　　　　격 조사.

叙述格助词, 谓格助词
句子中接在体词或体词性词语之后, 使之成为谓语的格助词。

④ 보격 조사 : 문장 안에서, 체언이 서술어의 보어임을 표시하는 격 조사.

补格助词
句子中接在体词之后, 使之构成谓词补语的格助词。

⑤ **관형격 조사** : 문장 안에서 앞에 오는 체언이 뒤에 오는 체언을 꾸며 주는 구실을 하게 하는 조사.

属格助词
句子中使前一体词修饰后一体词的助词。

⑥ **부사격 조사** : 문장 안에서, 체언이 서술어에 대하여 장소, 도구, 자격, 원인, 시간 등과 같은 부사로서의 자격을 가지게 하는 조사.

副词格助词
句子中接在体词之后，使之具有谓语的处所、工具、资格、原因、时间等副词作用的助词。

⑦ **호격 조사** : 문장에서 체언이 독립적으로 쓰여 부르는 말의 역할을 하게 하는 조사.

呼格助词
句子中使体词独立使用而用作称呼的助词。

2) **보조사** : 체언, 부사, 활용 어미 등에 붙어서 특별한 의미를 더해 주는 조사.

补助词
与体词、副词、活用词尾等连用、补充特殊意义的助词。

3) **접속 조사** : 두 단어를 이어 주는 기능을 하는 조사.

连接助词
具有连接两个词语作用的助词。

격 조사 (格助词)	주격 조사 (主格助词)	이/가, 께서, 에서
	목적격 조사 (目的格助词)	을/를
	보격 조사 (补格助词)	이/가
	부사격 조사 (副词格助词)	에, 에서, 에게, 한테, 께, (으)로, (으)로서, (으)로써, 와/과, 하고, (이)랑, 처럼, 만큼, 같이, 보다
	관형격 조사 (属格助词)	의
	서술격 조사 (叙述格助词)	이다
	호격 조사 (呼格助词)	아, 야, 이시여
보조사 (补助词)		은/는, 만, 도, 까지, 부터, 마저, 조차, 밖에…
접속 조사 (连接助词)		와/과, 하고, (이)랑, (이)며

9. **감탄사** : 느낌이나 부름, 응답 등을 나타내는 말의 품사.

叹词
表现感觉、呼叫或应答等的词类。

5. 문장 성분 : 주어, 서술어, 목적어 등과 같이 한 문장을 구성하는 요소.

句子成分
主语、谓语、宾语等组成句子的成分。

1. 주어 : 문장의 주요 성분의 하나로, 주로 문장의 앞에 나와서 동작이나 상태의 주체가 되는 말.

主语
主要的句子成分之一，主要用于句子的前面而成为动作或状态的主体。

1) 체언 + 주격 조사 : 体词 + 主格助词

2) 체언 + 보조사 : 体词 + 补助词

2. 목적어 : 타동사가 쓰인 문장에서 동작의 대상이 되는 말.

宾语
使用及物动词的句子中成为动作对象的词语。

1) 체언 + 목적격 조사 : 体词 + 目的格助词

2) 체언 + 보조사 : 体词 + 补助词

3. 서술어 : 문장에서 주어의 성질, 상태, 움직임 등을 나타내는 말.

谓语
句子中表示主语的性质、状态、动作等的话。

1) 용언 종결형 : 谓词 终结形

2) 체언 + 서술격 조사 '이다' : 体词 + 叙述格助词 '이다'

4. 보어 : 주어와 서술어만으로는 뜻이 완전하지 못할 때 보충하여 문장의 뜻을 완전하게 하는 문장 성분.

补语
仅靠主语和谓语句子意思不完整时起补充作用、使句子意思完整的句子成分。

1) 체언 + 보격 조사 : 体词 + 补格助词

2) 체언 + 보조사 : 体词 + 补助词

5. 관형어 : 체언 앞에서 그 내용을 꾸며 주는 문장 성분.

　冠形语
　位于体言前起修饰作用的句子成分。

　1) 관형사 : 冠形词

　2) 체언 + 관형격 조사 '의' : 体词 + 属格助词 '의'

　3) 용언 어간 + 관형사형 어미 '-은/ㄴ, -는, -을/ㄹ, -던'

　　: 谓词 词干 + 冠词形语尾 '-은/ㄴ, -는, -을/ㄹ, -던'

6. 부사어 : 문장 안에서, 용언의 뜻을 분명하게 하는 문장 성분.

　状语
　句子中使谓词意思更加明确的句子成分。

　1) 부사 : 副词

　2) 부사 + 보조사 : 副词 + 补助词

　3) 용언 어간 + 부사형 어미 '-게' : 谓词 词干 + 副词形语尾 '-게'

7. 독립어 : 문장의 다른 성분과 밀접한 관계없이 독립적으로 쓰는 말.

　插入语, 独立语, 独立成分
　与句子的其他成分没有密切关系, 独立使用的词语。

　1) 감탄사 : 叹词

　2) 체언 + 호격 조사 : 体词 + 呼格助词

6. 어순 : 한 문장 안에서 주어, 목적어, 서술어 등의 문장 성분이 나오는 순서.

语序
在一个句子内主语、宾语、谓语等句子成分的排列顺序。

1) 주어 + 서술어(자동사)

　　主语 + 谓语(自动词)

　　예 (例) : 바람이 불어요.

2) 주어 + 서술어(형용사)

　　主语 + 谓语(形容词)

　　예 (例) : 날씨가 좋아요.

3) 주어 + 서술어(체언+서술격 조사 '이다')

　　主语 + 谓语(体词+叙述格助词 '이다')

　　예 (例) : 이것이 책상이다.

4) 주어 + 목적어 + 서술어(타동사)

　　主语 + 宾语 + 谓语(他动词)

　　예 (例) : 친구가 밥을 먹어요.

5) 주어 + 목적어 + 필수 부사어 + 서술어(타동사)

　　主语 + 宾语 + 必须 状语 + 谓语(他动词)

　　예 (例) : 어머니께서 용돈을 나에게 주셨다.

1) <u>체언(명사/대명사/수사)이/가</u> + <u>형용사 어간어미</u>
    <주어>   <서술어>

2) <u>체언이/가</u> + <u>체언을/를</u> + <u>타동사 어간어미</u>
    <주어>   <목적어>   <서술어>

7. 띄어쓰기 : 글을 쓸 때, 각 낱말마다 띄어서 쓰는 일. 또는 그것에 관한 규칙.

分写法, 隔写法
写作时把每个词语分开来写；或指与其相关的规则。

1) 체언조사 (띄어쓰기) 용언 어간어미

   体词助词 (分写法) 谓词 词干语尾

   예 (例) : 밥을 (分写法) 먹어요

2) 관형사 (띄어쓰기) 명사

   冠形词 (分写法) 名词

   예 (例) : 새 (分写法) 옷

3) 용언 어간관형사형 어미 '-은/-ㄴ, -는, -을/-ㄹ, -던'(띄어쓰기) 명사

   谓词 词干冠词形语尾 '-은/-ㄴ, -는, -을/-ㄹ, -던 (分写法) 名词

   예 (例) : 기다리는 (分写法) 사람 / 좋은 (分写法) 사람

4) 형용사 어간부사형 어미 '-게' (띄어쓰기) 용언 어간어미

   形容词 词干副词形语尾 '-게' (分写法) 谓词 词干语尾

   예 (例) : 행복하게 (分写法) 살자

5) 명사인 (띄어쓰기) 명사

   名词인 (分写法) 名词

   예 (例) : 대학생인 (分写法) 친구

8. 문장 부호 : 문장의 뜻을 정확히 전달하고, 문장을 읽고 이해하기 쉽도록 쓰는 부호.

标点符号
用来明确表达句子意思的、辅助容易阅读理解句子意思的符号。

1) 마침표 (.) : 문장을 끝맺거나 연월일을 표시하거나 특정한 의미가 있는 날을 표시하거나 장, 절, 항 등을 표시하는 문자나 숫자 다음에 쓰는 문장 부호.

终结符号, 句号
文章结束、表示年月日、标出特定意义的日子或表示章、节、项等时标在文字或数字后面的标点符号。

2) 물음표 (?) : 의심이나 의문을 나타내거나 적절한 말을 쓰기 어렵거나 모르는 내용임을 나타낼 때 쓰는 문장 부호.

问号
表示怀疑、疑问时，或难以找到适当的语句或表示不知道的内容时使用的标点符号。

3) 느낌표 (!) : 강한 느낌을 표현할 때 문장 마지막에 쓰는 문장 부호 '!'의 이름.

叹号, 感叹号
表达强烈感觉时在句子最后使用的标点符号"!"的名称。

4) 쉼표 (,) : 어구를 나열하거나 문장의 연결 관계를 나타내는 문장 부호.

逗号
罗列语句或表示句子连接的关系的符号。

5) 줄임표 (……) : 할 말을 줄였을 때나 말이 없음을 나타낼 때에 쓰는 문장 부호.

省略号
表示引文中省略的部分或说话中没有说完全的部分的标点符号。

< 참고(參考) 문헌(文獻) >

고려대학교 한국어대사전, 고려대학교 민족문화연구원, 2009
우리말샘, 국립국어원, 2016
표준국어대사전, 국립국어원, 1999
한국어교육 문법 자료편, 한글파크, 2016
한국어 교육학 사전, 하우, 2014
한국어기초사전, 국립국어원, 2016
한국어 문법 총론 Ⅰ, 집문당, 2015

HANPUK

한국어 동사 290 형용사 137 中国语(翻译)

발   행 | 2024년 6월 10일
저   자 | 주식회사 한글2119연구소
펴낸이 | 한건희
펴낸곳 | 주식회사 부크크
출판사등록 | 2014.07.15.(제2014-16호)
주   소 | 서울특별시 금천구 가산디지털1로 119 SK트윈타워 A동 305호
전   화 | 1670-8316
이메일 | info@bookk.co.kr

ISBN | 979-11-410-8870-5

www.bookk.co.kr